문 법 ③

Get It Korean Grammar

이정희 | 김중섭 | 조현용
박선희 | 정윤주 | 정미향

 Hawoo Publishing Inc.

머리말

경희대학교가 한국어 통합 교재 초급, 중급, 고급 전권을 발간한 지 올해로 18년이 되었습니다. 당시 출판한 한국어 통합 교재는 한국어 교육계에 변화의 바람을 불게 하였으며 한국어 교육 현장에서 의사소통 중심의 통합형 교육과정을 체계화하는 데 큰 역할을 하였습니다.

경희대학교는 2014년에 한국어 교육에 새로운 지평을 열 한국어 기능 분리형 교재 문법3(중급1 단계)을 출간하였습니다. 한국어 통합 교재는 네 가지 언어 기능이 통합적으로 제시됨으로써 균형적인 언어 발달을 이루는 것을 목표로 하고 있습니다. 그러나 언어의 네 가지 기능이 유기적으로 제시되지 못할 경우 어느 한 가지 기능 발달에 집중되거나 언어가 실제로 사용되는 환경을 제대로 담지 못할 가능성이 있습니다. 실제로 그간의 한국어 교육 현장은 의사소통 교수법이 중심이 되면서 교수 시 쓰기나 읽기에 충분한 시간을 할애하지 못하거나 이러한 기능이 다른 기능을 보조하는 수단으로 인식되기도 하였습니다.

한국어 기능 분리형 교재는 네 가지 언어 기능을 독립적으로 제시하여 학습자가 해당 언어 기능에 초점을 두고 언어가 사용되는 실제 환경에 몰입하여 해당 기능을 분명하게 이해하고 표현하는 데에 도움을 줄 것입니다. 또한 학습자의 학습 목적과 요구에 따라 언어 기능을 선택하고 집중하게 함으로써 좀 더 효과적인 한국어 학습을 가능하게 할 것입니다. 교수자의 측면에서는 그간 통합 교재에서 소홀히 여겨진 각각의 언어 기능에 대한 전문화된 교수 능력을 제고하게 될 것이며 나아가 기능별 언어 교육 전문가를 양성함으로써 국내외 한국어 교육의 새로운 전환의 계기가 될 것으로 기대합니다.

중급 단계에서의 한국어 기능 분리 교재는 처음 시도되는 바, 부족하거나 목표한 바를 충분히 담아내지 못한 경우도 있을 것입니다. 언어 기능 분리를 시도하였으나 각 기능 간 유기적인 연계를 확보하기 위해 노력하였고 난이도, 빈도 등을 고려하여 문법과 어휘를 배열하였습니다. 특히 국립국어원에서 발간한 『국제 통용 한국어 교육 표준 모형』에 기반하여 언어의 요소와 의미·기능을 배치하여 한국어 교육의 표준적인 내용을 담아내고자 하였습니다. 또한 기능(functions)과 주제가 단순히 나열되는 것이 아니라 순환되는 구조를 가지되 중복을 피하고자 노력하였습니다. 그리고 학습자의 학습에 대한 동기와 흥미가 유지될 수 있도록 사진, 삽화 등을 배열하는 데에도 각별히 신경을 썼습니다.

경희대학교는 앞으로도 학습자의 다양한 요구에 맞는 프로그램 개발과 한국어 교육의 질적 향상, 교육 환경 개선 등을 위해 노력할 것입니다. 한국어 기능 분리형 교재 문법3이 나오기까지 노력과 수고를 아끼지 않은 경희대학교 국제교육원 한국어 교재 집필진에게 감사를 드리며 이 교재가 학습자와 교수자 모두에게 실질적인 도움이 되기를 바랍니다.

2017년 8월
경희대학교 국제교육원
원장 조현용

일러두기

이 책은 한국어 '문법' 3단계 교재이다. 이 책에서 다루고 있는 표현은 중급 단계 한국어 학습자가 한국어로 듣고 말하며 읽고 쓰는 능력을 확장시키고 나아가 의사소통 상황에서 정확한 문장을 생성해 내는 데에 핵심적인 역할을 할 것이다.

이 책은 한국어 학습자의 정확한 문장 생성 능력을 신장시키고 이를 기반으로 사용 맥락에 따른 발화의 유창성을 향상시키는 데 중점을 두었다.

이 책의 표현은 총 76개 항목으로 한국어 중급 듣기, 말하기, 읽기, 쓰기의 주제 적합성을 고려하고 난이도와 빈도를 기준으로 선정하였다. 또한 표현 항목의 선정과 배열의 적절성을 검증하기 위해 「국제 통용 한국어 교육 표준 모형」의 중급 단계 문법 항목과의 비교·대조를 실시하였다.

이 책에서 제시된 76개 항목 중 14개 항목은 초·중급 단계에 걸쳐 제시된 유사 문법의 변별 학습을 통해 정확성을 향상시키고자 하였다.

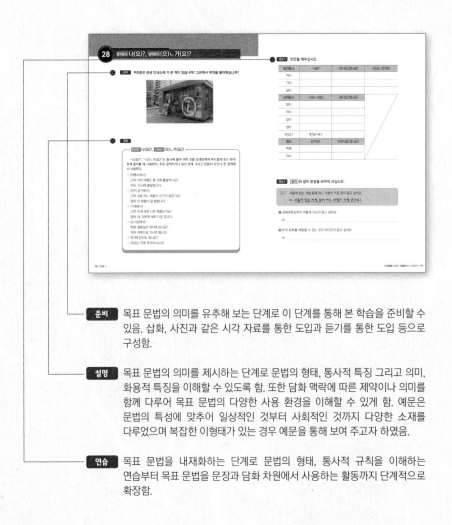

준비 목표 문법의 의미를 유추해 보는 단계로 이 단계를 통해 본 학습을 준비할 수 있음. 삽화, 사진과 같은 시각 자료를 통한 도입과 듣기를 통한 도입 등으로 구성함.

설명 목표 문법의 의미를 제시하는 단계로 문법의 형태, 통사적 특징 그리고 의미, 화용적 특징을 이해할 수 있도록 함. 또한 담화 맥락에 따른 제약이나 의미를 함께 다루어 목표 문법의 다양한 사용 환경을 이해할 수 있게 함. 예문은 문법의 특성에 맞추어 일상적인 것부터 사회적인 것까지 다양한 소재를 다루었으며 복잡한 이형태가 있는 경우 예문을 통해 보여 주고자 하였음.

연습 목표 문법을 내재화하는 단계로 문법의 형태, 통사적 규칙을 이해하는 연습부터 목표 문법을 문장과 담화 차원에서 사용하는 활동까지 단계적으로 확장함.

이 책의 사용

이 책은 교실 수업용 교재로 개발되었으나 교사의 설명이나 도움 없이도 학습이 가능하도록 쉽고 상세한 설명과 다양한 연습 활동을 제공하였다.

개별 문법 항목에 번호를 달아 문법의 난이도와 빈도 등의 문법 배열 순서를 확인할 수 있도록 함. 또한 문법의 결합 정보에 회색 음영을 처리하여 학습자가 정확하게 문법 형태를 인지할 수 있도록 함.

🔔 종을 이미지화한 듣기 아이콘으로 문법의 특성에 따라 듣는 연습을 제시함.

문법 설명은 형태 정보, 의미 정보, 화용 정보 순서로 제시함. 문법에 따라 같은 형태이지만 다른 의미가 있는 경우에는 별도로 예문과 함께 기술하여 내용 이해를 도움.
예문은 문장 단위(3-4개), 담화 단위(1-2개)로 제시하여 해당 문법이 사용되는 환경을 인지할 수 있도록 함.

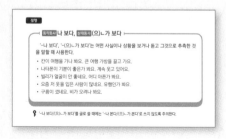

🔑 열쇠를 이미지화한 문법 추가 설명 아이콘으로 해당 문법의 추가 설명이 필요한 경우 내용을 제시함.

*별표는 형태와 새 어휘 아이콘으로 문법의 형태 변화에서 주의를 기울여야 할 부분과 문법 설명, 연습에서 새로 등장하거나 낯선 어휘를 부연 설명함.

차례

문법 2

문법 3

01 반말 종합 연습

준비 잘 듣고 두 사람의 관계를 고르십시오.

❶ ① 친구　　　　　　② 선배와 후배

❷ ① 직장 동료　　　　② 부모와 자식

설명

┌ 반말 ┐

　반말은 나이가 같거나 어린 사람, 가까운 관계에서 사용하는 말이다. 반말에는 격식체와 비격식체가 있는데 격식체 반말은 말하는 사람과 나이가 같거나 말하는 사람보다 나이가 어린 사람에게 사용하며 대화에서 대화자 간 관계를 파악하는 데 중요한 요소가 되기도 한다. 반면 비격식체 반말은 가깝거나 친한 사이에서 모두 사용할 수 있다.

　반말은 문장에 따라 형태가 다른데 먼저 격식체 반말은 평서형 '-(는/ㄴ)다', 의문형 '-니?/냐?', 청유형 '-자', 명령형 '-아라/어라'이다. 특히 평서형 '-(는/ㄴ)다'는 글쓰기의 기초가 되는 중요한 형태이다. 비격식체 반말은 평서형, 의문형, 청유형, 명령형 모두 '-아/어'로 동일한 형태로 이것은 억양에 따라 의미가 다르다.

연습1 빈칸을 채우십시오.

	-(는/ㄴ)다	-았다/었다	-(으)ㄹ 것이다
먹다			
가다			
좋다			
예쁘다			
학생			
의사			
먹지 않다			
가지 않다			
좋지 않다			
예쁘지 않다			
학생이 아니다			
의사가 아니다			

연습2 맞으면 ○, 틀리면 ✕ 하십시오.

❶ 하루 종일 비가 내릴 것 같는다.   (   )

❷ 어릴 때는 놀이터에서 많이 놀았다.   (   )

❸ 아버지께 바둑을 배워서 둘 줄 안다.   (   )

❹ 휴일에는 책을 읽거나 음악을 듣다.   (   )

❺ 내 동생은 외국어를 배워 본 적이 없는다.   (   )

❻ 주말마다 동네 도서관에서 봉사활동을 했다.   (   )

❼ 이번 학기에도 조별 발표를 할 것인다.   (   )

❽ 요즘 아이들은 김치를 잘 안 먹는다.   (   )

❾ 공부는 매일매일 조금씩 하는 것이 좋은다.   (   )

❿ 다른 사람 책상이니까 깨끗하게 써야 하다.   (   )

⓫ 오래된 옷이지만 아직 깨끗한다.   (   )

⓬ 이사를 이제 그만 갔으면 좋겠는다.   (   )

⓭ 컴퓨터가 느려서 일하기가 불편한다.   (   )

⓮ 책을 보는 시간보다 스마트폰을 보는 시간이 더 많다. (   )

⓯ 예습도 중요하지만 복습이 더 중요한다.   (   )

연습3 밑줄 친 부분을 반말로 고쳐 쓰십시오.

어제 오후 경희대학교에서 제20회 세계 음식 축제가 <u>있었습니다</u>. 올해는 모두 10팀이 <u>참가했습니다</u>. 제 친구 호세 씨와 가브리엘 씨도 <u>참가했습니다</u>. 세계 음식 축제는 참가자들이 고향 음식을 만들어서 다른 나라의 친구들에게 소개하는 <u>대회입니다</u>.

<u>호세 씨와 가브리엘 씨는</u> '타코'라는 음식을 <u>만들었습니다</u>. '타코'는 올해 가장 인기 있는 음식이 <u>되었습니다</u>. 다양한 채소와 고기, 해물을 함께 먹을 수 있어서 외국인 학생들이 모두 <u>좋아했습니다</u>. '타코'를 만든 호세 씨와 가브리엘 씨는 경희대학교에서 준비한 상금과 상품을 <u>받았습니다</u>. 그리고 '타코'는 6월 한 달 동안 학생 식당의 점심 메뉴가 <u>될 겁니다</u>.

준비 다음 그림을 보고 리사에 대해 이야기해 보십시오.

설명

┤ 상태동사 **아하다/어하다** ├

'–아하다/어하다'는 심리(psychology, 心理)를 나타내는 상태동사에 붙어 다른 사람의 기분이나 느낌에 대해 말할 때 사용한다.

- 리사는 비가 오면 우울해해요.
- 우리 아이가 공부를 재미있어해요.
- 어머니는 선물을 받으시고 행복해하셨어요.
- 실수를 부끄러워하지 마세요.

연습1 **보기**와 같이 문장을 완성하십시오.

> **보기** 아이들은 놀이공원에 가면 무척 **즐거워해요**. (즐겁다)

❶ 형은 여자 친구가 생겨서 매일 _____. (행복하다)

❷ 선배가 건강 검진 때문에 하루 종일 밥을 못 먹어서 _____. (배고프다)

❸ 가족 외식에 동생을 데리고 가지 않아 동생이 기분 _____. (나쁘다)

❹ 리사가 한국 생활을 _____는데/(으)ㄴ데 도와줄 방법이 없을까요? (힘들다)

❺ 부장님이 _____는/(으)ㄴ 건 이유 없이 해고를 당했기 때문이에요. (괴롭다)

❻ 어머니는 혼자 계시는 할머니를 생각하시면서 마음 _____. (아프다)

연습2 맞으면 ◯, 틀리면 ✗ 하십시오.

❶ 할머니께서 손자를 예쁘시다. ( )

❷ 누나는 처음 이곳에 이사를 왔을 때 친구가 없어서 심심해했다. ( )

❸ 요즘에는 개를 무섭지 않은 아이들이 많다. ( )

❹ 선배가 내 선물을 받고 기뻐하니까 나도 기분이 좋다. ( )

❺ 여자 친구가 추워서 내가 외투를 벗어 줬다. ( )

❻ 사람들은 그의 갑작스러운 죽음을 슬퍼했다. ( )

❼ 빌리는 우리 집을 자기 집처럼 편안하다. ( )

❽ 우리 학교에서는 힘들어하는 유학생들을 위해 상담실을 운영하고 있다. ( )

준비 글씨가 어떻습니까?

가 경희대학교
리사

나 경희대학교
호세

다 경희대학교
나타폰

설명

상태동사 게

'-게'는 상태동사에 붙어 부사(adverb, 副詞)의 기능을 한다.

• 빌리는 학교에 늦게 왔어요.
• 다시 한 번 크게 이야기해 주세요.
• 세일 기간에 물건을 싸게 살 수 있어요.
• 그 사람은 얼음처럼 차갑게 생겼어요.

연습 1 보기 와 같이 문장을 완성하십시오.

보기 나타폰은 음식을 예쁘게 먹어요.

쉽다	싸다
맛있다	예쁘다
깨끗하다	복잡하다
시끄럽다	재미있다

먹다	사다
울다	가르치다
설명하다	요리하다
청소하다	이야기하다

❶ ....

❷ _____

❸ _____

연습2 알맞은 것을 골라 문장을 완성하십시오.

| 쉽다 | 짧다 | 크다 | 맛있다 | 행복하다 |

---

❶ 결혼해서 _____ 잘 살겠습니다.

❷ 요즘 날씨가 너무 더워서 머리를 _____ 잘랐어요.

❸ 잘 안 들리니까 좀 _____ 이야기해 주세요.

❹ _____ 드신 후에 그릇은 제자리에 두십시오.

❺ 이 책은 누구나 _____ 이해할 수 있습니다.

연습3 알맞은 것을 골라 문장을 완성하십시오.

| 귀엽다 | 무섭다 | 차갑다 | 똑똑하다 |

---

❶

_____ 생겼어요.

❷

_____ 생겼어요.

❸

_____ 생겼어요.

❹

_____ 생겼어요.

연습 4 **보기** 와 같이 주변 사람들의 특징에 대해 이야기해 보십시오.

> **보기** 리사는 귀엽게 생겼어요. 그리고 예쁘게 웃어요.
>
> 저는 옷을 크게 입어요. 하지만 신발은 딱 맞게 신어요.
>
> 다니엘은 재미있게 말해요. 그래서 인기가 있어요.

❶ ....

❷ ....

❸ ....

메모

04 동작동사 (으)ㄴ 지

준비 여자는 언제 한국에 왔습니까?

설명

┤ 동작동사 (으)ㄴ 지 ├

'-(으)ㄴ 지'는 동작동사에 붙어 어떤 일을 한 후에 시간이 얼마나 지났는지를 나타낼 때 사용한다. '-(으)ㄴ 지' 뒤에는 ' 시간 표현 이/가 되다, 지나다, 흐르다, 경과하다' 등의 표현이 온다.

- 사건이 발생한 지 한 달이 되었다.
- 이 회사에서 일한 지 벌써 10년이 지났다.
- 그 이야기를 들은 지 10분도 안 되었는데 벌써 잊어버렸어요.

어떤 일을 한 후 시간이 조금 지났을 경우에는 '얼마 안 되다'를 사용하고 많이 지났을 경우에는 '한참/ 오래되다'를 사용하기도 한다.

- 마라톤을 시작한 지 얼마 안 됐어요.
- 초등학교를 졸업한 지 한참 됐어요.
- 한국어를 공부한 지 오래됐어요.

'-(으)ㄴ 지'는 맥락(context, 脈絡)에 따라 두 가지 의미를 나타낼 수 있다.

- 그 친구를 만난 지 한 달이 됐다.
  ① 친구를 한 달 전에 만났다. 그 후 만나지 못했다.
  ② 친구를 한 달 전에 만났다. 아직도 만나고 있다.

연습1 맞는 것에 ⬭ 하십시오.

안 지	도운 지	듣는 지	먹은 지
배운 지	썼는 지	만들은 지	공부하는 지

연습2 보기 와 같이 문장을 바꾸어 쓰십시오.

> 보기 3년 전부터 태권도를 배웠다.
>
> ⇨ 태권도를 배운 지 3년이 되었어요.

❶ 일주일 전에 친구를 만났다.

⇨ ....

❷ 그 사람을 10년 전부터 알았다.

⇨ ....

❸ 조금 전에 사무실에 전화했다.

⇨ ....

❹ 5년 전에 그 회사를 그만뒀다.

⇨ ....

연습3 대화를 완성하십시오.

❶ 가: 한국어를 배운 지 얼마나 됐어요?

나: .... (6개월)

❷ 가: 이 집에서 산 지 얼마나 됐어요?

나: .... (일주일)

❸ 가: 언제 용돈을 받았어요?

　나: ＿＿＿＿＿＿＿＿＿＿＿＿＿＿＿＿＿＿ (한 달)

❹ 가: 언제 입사했어요?

　나: ＿＿＿＿＿＿＿＿＿＿＿＿＿＿＿＿＿＿ (3년)

연습4 다음을 이용하여 이야기해 보십시오.

40분	3시간	10년	하루	일주일	두 달(2개월)	한참(오래)

농구하다	이사하다	책을 읽다	음악을 듣다
데이트를 하다	개를 키우다	머리를 깎다	친구를 기다리다

연습5 보기 와 같이 이야기해 보십시오.

보기　가: 취미가 뭐예요?

　　　나: 동전 모으기예요.

　　　가: 동전을 모은 지 얼마나 됐어요?

　　　나: 동전을 모은 지 6년 됐어요.

❶ 취미

❷ 배우고 있는 외국어

❸ 좋아하는 연예인

❹ 하고 있는 운동

05 | 상태동사 | 아/어 보이다

준비 다음 그림을 보고 이야기해 보십시오.

가

나

설명

┤ 상태동사 **아/어 보이다** ├

'-아/어 보이다'는 상태동사에 붙어 어떤 것을 본 후에 느낀 것이나 추측한 것을 말할 때 사용한다.

- 오늘 기분이 좋아 보이네요.
- 이 옷을 입으니까 날씬해 보여요.
- 가방이 무거워 보이는데 제가 들어 드릴까요?

연습1 알맞은 것을 골라 문장을 완성하십시오.

크다	나쁘다	멋있다	어리다	편하다	단정하다

❶ 빌리는 오늘 웃지도 않고 말도 안 해요. 기분이 ....

❷ 제시카는 35살이지만 얼굴은 25살 같아요. 나이보다 ....

❸ 리사가 신은 신발이 가볍고 ....

❹ 눈 화장을 하면 눈이 ....

❺ 자신의 일을 열심히 하는 사람은 ....

❻ 면접을 볼 때는 .... 옷을 입으세요.

연습2 다음을 보고 문장을 만드십시오.

❶  ❷  ❸  ❹

❶ ....

❷ ....

❸ ....

❹ ....

연습3 다음 속담을 읽고 문장을 완성하십시오.

> [속담] 남의 떡이 커 보인다 : 남의 것이 자기 것보다 더 좋아 보인다.

❶ 남의 .... 이/가 ....

❷ 남의 .... 이/가 ....

❸ 남의 .... 이/가 ....

06 [동사] 거든(요)

[준비] 호세가 어떻게 대답할까요?

호세 씨, 오늘 기분이 좋아 보이네요.

[설명]

── [동사] 거든(요) ──

'-거든(요)'는 동사에 붙어 주로 상대방이 모르는 내용을 설명할 때 사용한다. '-거든(요)'는 구어로 가까운 관계에서 사용하기 때문에 윗사람에게 사용할 때는 주의해야 한다.

- 가: 왜 이렇게 공부를 열심히 해요?
  나: 다음 주에 시험을 보거든요.
- 가: 요즘 바빠요?
  나: 네. 회사 일이 좀 많거든요.
- 저는 운동을 좋아해요. 운동을 하면 스트레스가 풀리거든요.
- 토요일에 시간 있으면 우리 집에 와. 내 생일이거든.

또한 화제를 제시할 때도 사용할 수 있다.

- 어제 명동에 갔거든요. 그런데 외국 사람이 정말 많았어요.
- 제 취미가 독서거든요. 그래서 시간 있을 때마다 책을 읽어요.

🔑 '-거든(요)'는 억양에 따라 의미 전달에 차이가 생긴다. 말할 때 끝을 올리면 반대의 의견을 제시하는 느낌이 있으므로 끝을 내려서 말하는 것이 좋다.

연습1 알맞은 것을 골라 대화를 완성하십시오.

물이 없다	결혼식에 가다	보고서가 있다	중국 사람이다

❶ 가: 오늘 오후에 뭐 해요?

　　나: 도서관에 가야 돼요. 다음 주까지 제출해야 할 ....

❷ 가: 옷을 새로 샀네.

　　나: 응. 주말에 회사 동료 ....

❸ 가: 미안하지만 물 좀 사다 줘. 집에 ....

　　나: 알겠어. 들어갈 때 사 갈게.

❹ 가: 중국어를 잘하네요.

　　나: 저하고 제일 친한 친구가 ....

연습2 대화를 완성하십시오.

❶ 가: 왜 식사를 안 해요?

　　나: ....

❷ 가: 주말인데 왜 출근해요?

　　나: ....

❸ 가: 안색이 안 좋네.

　　나: ....

❹ 가: 무슨 일로 공항에 가요?

　　나: ....

❺ 가: 오늘은 길이 많이 막히네요.

　　나: ....

❻ 가: 오늘 시간 있어? 나랑 같이 저녁 먹을래?

　　나: 미안하지만 오늘은 안 될 것 같아. ....

자주 가는 장소에 대해 이야기해 보십시오.

> 보기   자주 가는 장소: **학생 식당**
>
> 가: 왜 학생 식당에 자주 가요?
>
> 나: 가격도 싸고 메뉴가 매일 바뀌거든요. 또 밥을 먹은 후에 빈자리에서 공부도 할 수 있고요.

메모

07 동작동사 는 데 (좋다/나쁘다)

준비 스트레스를 풀고 싶을 때 어떻게 하는 것이 좋습니까?

설명

┌─ 동작동사 **는 데 (좋다/나쁘다)** ─┐

'-는 데'는 동작동사에 붙어 무엇이 앞의 일이나 상황에 좋거나 도움이 될 때 혹은 그 반대로 나쁘거나 필요 없을 때 사용한다. '-는 데' 뒤에는 주로 '좋다/나쁘다, 도움이 되다/안 되다, 필요하다/필요 없다' 등이 온다.

- 다양한 경험은 좋은 글을 쓰는 데 도움이 된다.
- 외국어 공부를 하는 데 사전이 필요합니다.

'-는 데'는 다음과 같이 문장을 만들 수 있다.
- 건강하게 생활하는 데 채소를 많이 먹는 게 도움이 돼요.
- 채소를 많이 먹는 게 건강하게 생활하는 데 도움이 돼요.

'-는 데' 뒤에는 '시간이 걸리다/ 돈이 들다' 등의 표현도 쓸 수 있다.
- 소설을 끝내는 데 2년이 걸렸습니다.
- 해외여행을 하는 데에는 생각보다 많은 돈이 들지 않는다.

연습 1 알맞은 것을 골라 문장을 완성하십시오.

잠을 깊이 자다	국내 여행을 하다	쓰기 실력을 기르다	맛있는 음식을 만들다

❶ 일기를 쓰는 것은 .... 좋다.

❷ 술을 많이 마시는 것은 .... 좋지 않다.

❸ _____ 여권은 필요하지 않다.

❹ _____ 요리를 많이 해 보는 것이 도움이 된다.

연습2 **보기** 와 같이 대화를 완성하십시오.

> **보기** 가: 어제 집에 **가는 데** 시간이 얼마나 걸렸어요?
> 나: 길이 많이 막혀서 2시간 걸렸어요.

❶ 가: 지금부터 한국어 공부를 시작하면 고급까지 _____ 시간이 얼마나 걸려
요? (공부하다)

나: 저는 초급부터 시작했는데 고급까지는 1년 6개월 걸렸어요.

❷ 가: 이번에 컴퓨터를 _____ 돈이 얼마나 들었어요? (바꾸다)

나: 팔십만 원쯤 들었어요.

❸ 가: 보고서를 _____ 시간이 얼마나 필요할 것 같아요? (쓰다)

나: 일주일 정도 걸릴 것 같아요.

❹ 가: 가족들과 제주도 여행을 _____ 돈이 얼마나 들었어요? (하다)

나: 백만 원요. 제주도에 친척이 있어서 숙박비를 안 썼거든요.

연습3 무엇이 도움이 되는지 이야기해 보십시오.

| 한국어 공부를 하다 | .... |

| 피로를 풀다 | .... |

| 취직을 하다 | .... |

08 동작동사 게 되다

준비 다음 그림을 보고 이야기해 보십시오.

가 한국에 처음 왔을 때

나 지금

설명

┤ 동작동사 **게 되다** ├

'-게 되다'는 동작동사에 붙어 어떤 일이나 동작의 변화를 나타낼 때 사용한다.

• 피곤하면 하품을 하게 돼요.
• 다리를 다쳐서 축구를 못 하게 됐어요.
• 여러 나라에서 온 친구를 사귀면 다양한 문화를 알게 됩니다.

'-게 되다'는 동기(motive, 動機)나 계기(opportunity, 契機)를 표현할 때도 사용한다.

• 이 책을 쓰게 된 동기를 말씀해 주세요.
• 역사에 관심이 많아서 역사학과에 지원하게 되었습니다.

연습1 | **보기**와 같이 문장을 바꾸어 쓰십시오.

> **보기** | 수영을 못했다 ⇨ 수영을 잘할 수 있다
>
> **수영을 잘할 수 있게 됐어요.**

❶ 요리를 못했다 ⇨ 요리를 잘할 수 있다

....

❷ 한국 소설을 못 읽었다 ⇨ 한국 소설을 잘 읽을 수 있다

....

❸ 한국 문화를 몰랐다 ⇨ 한국 문화를 안다

....

❹ 안경을 안 썼다 ⇨ 안경을 쓴다

....

연습2 | **보기**와 같이 문장을 완성하십시오.

> **보기** | · 비가 많이 와서 **여행을 취소하게 됐어요.**
>
> · 여행을 많이 다니면 **여러 나라의 문화를 알게 돼요.**

❶ 돈이 부족해서 ....

❷ 갑자기 일이 생겨서 ....

❸ 혼자 살면 ....

❹ 짠 음식을 먹으면 ....

연습3 보기 와 같이 이야기해 보십시오.

> 보기 · 지훈: 한국에 오기 전과 한국에 온 후에 달라진 점이 뭐예요?
>
>   빌리: 한국에 오기 전에는 매운 음식을 못 먹었는데 지금은 잘 먹게 됐어요.
>
>   · 빌리: 유진 씨, 한국어 듣기를 잘할 수 있는 방법 좀 가르쳐 주세요.
>
>   유진: 한국 드라마를 많이 보면 한국어 듣기를 잘하게 될 거예요.

❶ 한국에 오기 전과 한국에 온 후	
❷ 어렸을 때와 지금	
❸ 한국어를 잘할 수 있는 방법	
❹ ( )을/를 잘할 수 있는 방법	

연습4 대화를 완성하십시오.

❶ 가: 어떻게 한국어를 배우게 됐습니까?

나: ....

❷ 가: 어떻게 우리 학과에 지원하게 되었습니까?

나: ....

준비 다음 그림을 보고 이야기해 보십시오.

과거 　현재 　미래

설명

동작동사 아/어 가다/오다

　'-아/어 가다/오다'는 동작동사에 붙어 어떤 일이나 동작이 지속(continue, 持續)됨을 나타낼 때 사용한다. '-아/어 가다'는 어떤 일이나 동작이 현재로부터 미래의 어느 때까지, '-아/어 오다'는 과거의 어느 때로부터 현재까지 지속됨을 의미한다. '-아/어 가다'는 '-겠-'과 함께 결합하여 주로 포부(aspiration, 抱負)를 밝힐 때 사용한다.

- 앞으로 더 열심히 공부해 가겠습니다.
- 하나씩 천천히 배워 가겠습니다.
- 10년 전부터 봉사 활동을 해 오고 있어요.
- 어렸을 때부터 피아노를 꾸준히 연습해 왔다.

　'-아/어 가다'는 어떤 일이나 동작이 거의 끝나고 있음을 말할 때 자주 사용된다.

- 가: 보고서 다 썼어요?
  나: 다 써 가요. 조금 남았어요.
- 가: 어디쯤 왔어요?
  나: 거의 다 와 가요. 5분 후면 도착할 거예요.

연습1　**보기** 와 같이 문장을 바꾸어 쓰십시오.

> **보기**　나는 어렸을 때부터 지금까지 피아노를 쳤다.
> ⇨ **나는 오랫동안 피아노를 쳐 왔다.**

❶ 빌리는 어렸을 때부터 지금까지 일기를 썼다.

　⇨ _____

❷ 우리 삼촌은 오래 전부터 도자기를 만드셨다.

　⇨ _____

❸ 김 과장은 지난 10년 동안 계속 홍보 일을 했다.

　⇨ _____

❹ 아버지는 지난 20년 동안 쭉 수영을 하셨다.

　⇨ _____

연습2　**문장을 완성하십시오.**

❶ 어머니는 외할아버지의 시계를 지금까지 _____ (보관하다)

❷ 그 경찰은 10년 전에 일어난 사건을 지금까지 _____ (조사하다)

❸ 그 배우는 한 작가의 드라마에만 _____ (출연하다)

❹ 한국에서는 1995년부터 쓰레기종량제를 _____ (실시하다)

❺ 꾸준히 노력해서 앞으로 한국어 실력을 더 _____ (키우다)

❻ 이 사람과 결혼해서 앞으로 행복하게 _____ (살다)

❼ 한꺼번에 바꾸는 것은 어려우니까 지금부터 하나씩 _____ (바꾸다)

대화를 완성하십시오.

❶ 가: 어떻게 배우라는 직업을 갖게 되었어요?

　　나: 배우는 제가 어렸을 때부터 ＿＿＿＿＿＿＿＿＿＿＿＿＿ 일이거든요. (꿈꾸다)

❷ 가: 이렇게 오래된 노래를 어떻게 알아요?

　　나: 어릴 때부터 계속 ＿＿＿＿＿＿＿＿＿＿ 노래니까요. (듣다)

❸ 가: 외교관이 되려면 준비해야 할 게 많지?

　　나: 응. 힘들겠지만 조금씩 ＿＿＿＿＿＿＿＿＿ (준비하다)

❹ 가: 한국어가 서툰데 전공 수업을 들을 수 있겠어요?

　　나: 좀 어렵겠지만 노력하며 ＿＿＿＿＿＿＿＿＿＿＿ (배우다)

연습 4 　보기 와 같이 대화를 완성하십시오.

> 보기　가: 점심 다 먹었어요?
>
> 　　　나: 다 먹어 가요.

❶ 가: 회의 준비는 끝났어요?

　　나: ＿＿＿＿＿＿＿＿＿＿＿＿＿＿＿＿＿＿＿＿＿＿

❷ 가: 제가 빌려 준 책 다 읽었어요?

　　나: ＿＿＿＿＿＿＿＿＿＿＿＿＿＿＿＿＿＿＿＿＿＿

❸ 가: 어디쯤 왔어요?

　　나: ＿＿＿＿＿＿＿＿＿＿＿＿＿＿＿＿＿＿＿＿＿＿

❹ 가: 좀 서두르세요. 약속 시간이 ＿＿＿＿＿＿＿＿＿＿＿＿＿

　　나: 알았어요.

10 동사 기는 하다

준비 리사가 어떻게 대답할까요?

그 식당 음식 맛있지?

맛 가격 분위기 서비스 ...

설명

┤ 동사 **기는 하다** ├

'-기는 하다'는 동사에 붙어 어떤 일이나 상황에 대해 일부는 긍정하지만 일부는 다른 생각이나 의견도 있음을 나타낼 때 사용한다.

• 빌리를 알기는 해요.
  : 이 문장은 빌리에 대해 이름 정도는 알지만 그 외에 다른 정보는 알지 못함을 의미한다.

• 그 친구는 예쁘기는 하지만 성격이 별로예요.
• 시험 준비를 열심히 하기는 했는데 자신은 없어요.

다음과 같은 형태로도 사용할 수 있다.

• 그 소식을 듣기는 들었어요.
• 순대를 먹어 보기는 먹어 봤어요.

'-기는 하다'의 과거, 미래의 시제는 다음과 같이 사용한다.

• 학교에 갔기는 해요. (×) → 가기는 했어요.
• 그 사람을 만나겠기는 해요. (×) → 만나기는 하겠어요./ 만나기는 할 거예요.

🔑 '-기는 하다'는 말할 때 '-긴 하다'로 줄여서 사용할 수 있다.

연습1 다음 두 문장을 읽고 어떻게 다른지 이야기해 보십시오.

❶ ① 이 식당은 음식이 맛있어요.

  ② 이 식당은 음식이 맛있기는 해요.

❷ ① 그 친구는 똑똑해요.

  ② 그 친구는 똑똑하기는 해요.

❸ ① 피아노를 칠 줄 알아요.

  ② 피아노를 칠 줄 알기는 해요.

❹ ① 지난주에 소개팅을 했어요.

  ② 지난주에 소개팅을 하기는 했어요.

연습2 문장을 연결하십시오.

❶ 그 사람을 알다, 친하지는 않다

  ⇨ ....

❷ 김치를 먹다, 좋아하지 않다

  ⇨ ....

❸ 새 차를 사고 싶다, 돈이 부족하다

  ⇨ ....

❹ 한국 신문을 읽을 수 있다, 이해하기 어렵다

  ⇨ ....

❺ 열심히 공부하다, 시험 점수는 나쁠 것 같다

  ⇨ ....

❻ 나타폰의 생일 파티에 가다, 일찍 집에 돌아와야 하다

  ⇨ ....

연습3 다음 질문에 대답해 보십시오.

❶ 새로 산 휴대전화는 어때요?	
❷ 이사 간 집은 어때요?	
❸ 한국어 공부는 어때요?	
❹	

메모

준비 다음을 보고 이야기해 보십시오.

설명

┤ 동작동사 **나 보다,** 상태동사 **(으)ㄴ가 보다** ├

'-나 보다', '-(으)ㄴ가 보다'는 어떤 사실이나 상황을 보거나 듣고 그것으로 추측한 것을 말할 때 사용한다.

• 칸이 여행을 가나 봐요. 큰 여행 가방을 끌고 가요.
• 나타폰이 기분이 좋은가 봐요. 계속 웃고 있어요.
• 빌리가 얼굴이 안 좋네요. 어디 아픈가 봐요.
• 요즘 저 옷을 입은 사람이 많네요. 유행인가 봐요.
• 구름이 꼈네요. 비가 오려나 봐요.

🔑 '-나 보다/(으)ㄴ가 보다'를 글로 쓸 때에는 '-나 본다/(으)ㄴ가 본다'로 쓰지 않도록 주의한다.

빈칸을 채우십시오.

동작동사	-나 보다	-았나/었나 보다	-(으)려나 보다
먹다			
가다			
살다			
상태동사	-(으)ㄴ가 보다	-았나/었나 보다	
많다			
작다			
쉽다			
길다			
맛있다	맛있나 보다		
명사	인가 보다	이었나/였나 보다	
학생			
의사			

* '-나 보다'의 미래 형태는 '-(으)ㄹ 건가 보다'도 있다.

연습2 보기 와 같이 문장을 바꾸어 쓰십시오.

> 보기 길이 많이 막혀요. ⇨ <u>길이 많이 막히나 봐요.</u>

❶ 빵을 잘 만들어요. ⇨ ....

❷ 회사가 멀어요. ⇨ ....

❸ 영화가 재미없어요. ⇨ ....

❹ 날씨가 추워요. ⇨ ....

❺ 어제 약속이 있었어요. ⇨ ....

❻ 동생이 집에 왔어요. ⇨ ....

다음을 보고 알맞은 단어를 골라 문장을 만드십시오.

덥다	바쁘다	아프다	돈을 찾다
일이 많다	수업이 없다	여행을 가다	음식이 맛없다

❶

❷

❸

❹

❺

❻

연습 4 대화를 완성하십시오.

❶ 가: 제시카 씨가 오늘 출근을 안 했네요.

　 나: ....

❷ 가: 리사하고 통화를 하기로 했는데 전화를 받지 않아요.

　 나: ....

❸ 가: 평소에는 잘 웃지 않는 다니엘이 오늘은 자주 웃네요.

　 나: ....

❹ 가: 저 빵집에 사람들이 많네요.

　 나: ....

다음을 보고 이야기해 보십시오.

❶ ....

❷ ....

❸ ....

메모

12 명사 (이)나

준비 잘 듣고 이어질 말을 생각해 보십시오.

설명

명사 (이)나

'(이)나'는 수량을 나타내는 명사에 붙어 그 수량이 생각보다 크거나 많다는 것을 나타낸다.

- 저는 그 드라마를 세 번이나 봤어요.
- 우리 집에는 강아지가 다섯 마리나 있어요.
- 기름값이 인상되면서 버스 요금이 10%나 올랐다.
- 명절에는 서울에서 부산까지 열 시간이나 걸린다.

연습1 빈칸을 채우십시오.

	이나		나
세 번	세 번이나	네 대	
다섯 권		두 채	
일곱 편		여덟 마리	
아홉 벌		스무 켤레	
열 잔		백 송이	

연습2 **보기** 와 같이 문장을 완성하십시오.

> **보기** 수진이는 남자 친구한테서 꽃을 **백 송이나** 받았어요.

❶ 이번 주말에 새 영화가 _____ 개봉된다.

❷ 그 40대 부부는 자녀가 _____ 있다.

❸ 지난 2일에 발생한 산불 때문에 집이 _____ 불에 탔다.

❹ 지훈은 여행 경비를 마련하기 위해 아르바이트를 _____ 하고 있다.

연습3 대화를 완성하십시오.

❶ 가: 집에서 회사까지 얼마나 걸려요?

　　나: 두 시간쯤 걸려요.

　　가: _____? 회사가 꽤 머네요.

❷ 가: 지난 방학에 뭐 했어?

　　나: 유럽 여행을 했는데 모두 13개국을 돌았어.

　　가: _____? 정말 여행을 많이 했네.

❸ 가: 영화 DVD 모으는 게 취미죠? 많이 모았어요?

　　나: 100장쯤 모은 것 같아요.

　　가: _____

❹ 가: 이 집에서 몇 년 살았어요?

　　나: 이 집에서 산 지 벌써 20년이 됐네요.

　　가: _____

13 명사 밖에 (없다)

준비 잘 듣고 이어질 말을 생각해 보십시오.

설명

┤ 명사 밖에 (없다) ├

'밖에 (없다)'는 수량을 나타내는 명사에 붙어 그 수량이 생각보다 작거나 적을 때 사용한다. '밖에' 뒤에는 '없다, 모르다, 안, 못'과 같은 부정형이 온다.

- 한국에 아는 사람이 한 명밖에 없습니다.
- 서울에서 인천공항까지 40분밖에 안 걸린다.
- 어제 두 시간밖에 못 자서 너무 피곤해요.
- 지난 선거에서 20대의 투표율은 20%밖에 되지 않았다.

'밖에'에 일반명사가 붙는 경우 그것 외에 선택할 다른 것이 없음을 나타낸다.

- 쉬는 날이 일요일밖에 없어요.
- 그 사람은 일밖에 모릅니다.

연습1 **보기** 와 같이 문장을 완성하십시오.

> **보기** 꽃, 한 송이, 받다
>
> ⇨ 꽃을 한 송이밖에 못 받았어요.

❶ 지금, 오백 원, 있다

⇨ _____

❷ 올해, 책, 한 권, 읽다

⇨ _____

❸ 설악산, 한 번, 가 보다

⇨ _____

❹ 정장, 한 벌, 가지고 있다

⇨ _____

연습2 대화를 완성하십시오.

❶ 가: 한국에 온 지 얼마나 됐어요?

　나: 한국에 온 지 _____ (이틀)

❷ 가: 학교에서 집까지 얼마나 걸려요?

　나: 걸어서 _____ (5분)

❸ 가: 이 집보다 더 싼 원룸은 없어요?

　나: 회사에서 가깝고 싼 원룸은 _____ (이 집)

❹ 가: 한국에서 어디에 가 봤어요?

　나: 바빠서 아직 _____ (명동)

보기와 같이 대화를 완성하십시오.

> 보기 가: 생일 파티에 친구들이 많이 왔어요?
>
> 나: 아니요. <u>**두 명밖에 안 왔어요.**</u>

❶ 가: 어제 잠을 많이 잤어요?

　　나: 아니요. ....

❷ 가: 외국어를 많이 배웠어요?

　　나: 아니요. ....

❸ 가: 해외여행을 많이 했어요?

　　나: 아니요. ....

❹ 가: 한국 친구를 많이 사귀었어요?

　　나: 아니요. ....

메모

14 동작동사 (으)려다(가)

04

준비 잘 듣고 이 사람들이 무엇을 마셨는지 이야기해 보십시오.

설명

동작동사 (으)려다(가)

'-(으)려다(가)'는 동작동사에 붙어 어떤 일이나 동작을 할 의도가 있었으나 그것을 하지 않았을 때 사용한다. 또한 처음의 의도와는 다른 결과가 발생했을 때도 사용한다.

- 취직을 하려다가 한국에 유학을 왔어요.
- 영화를 보려다 갑자기 일이 생겨서 못 봤다.
- 몸이 안 좋아서 여행을 가려다 말았다.
- 화를 내려다가 참았어요.
- 빌리가 의자에 앉으려다가 넘어졌어요.

연습1 문장을 연결하십시오.

❶ 소설책을 읽다, 피곤해서 그냥 자다

⇨ ....

❷ 야근을 하다, 몸이 안 좋아서 일찍 퇴근하다

⇨ ....

❸ 버스를 타다, 길이 막힐 것 같아서 지하철을 타다

⇨ ....

❹ 친구에게 전화를 하다, 버스 안이어서 문자를 보내다

⇨ ....

❺ 잡채를 만들다, 재료가 없어서 볶음밥을 만들다

⇨ ....

연습2 대화를 완성하십시오.

❶ 가: 어, 집에 있네요. 외출 안 했어요?

나: .... 비가 많이 와서 약속을 취소했어요.

❷ 가: 오랜만이에요. 이사 잘 했어요?

나: 아니요. .... 마음에 드는 집이 없어서 그냥 살기로 했어요.

❸ 가: 어제 모임에 갔다 왔어?

나: .... 말았어.

❹ 가: 방학 때 고향에 다녀왔어요?

나: .... 못 갔어요. 하지만 가족들이 한국에 놀러 왔어요.

연습 3 대화를 완성하십시오.

❶ 가: 밥을 안 먹고 왜 라면을 먹었어요?

　나: ....

❷ 가: 어제 친구랑 영화 잘 봤어요?

　나: ....

❸ 가: 빌리 씨, 친구들에게 내일이 생일이라고 말했어요?

　나: ....

❹ 가: 팬미팅에 잘 갔다 왔어요?

　나: ....

메모

15 [동사] 는/(으)ㄴ 걸 보니(까)

호세는 왜 이렇게 생각했을까요?

감기에 걸렸나 봐.

설명

┤ [동사] 는/(으)ㄴ 걸 보니(까) ├

‘–는/(으)ㄴ 걸 보니(까)’는 동사에 붙어 ‘어떤 일이나 상황을 보거나 들은 것을 통해 생각해 볼 때’의 뜻을 나타낸다. ‘–는/(으)ㄴ 걸 보니(까)’ 뒤에는 ‘–(으)ㄴ/는/(으)ㄹ 것 같다, –나 보다/(으)ㄴ가 보다’ 등의 표현이 온다.

- 리사가 죽을 먹는 걸 보니까 어디가 아픈가 봐요.
- 왕밍이 학교에 늦는 걸 보니까 무슨 일이 있나 봐요.
- 하늘이 흐린 걸 보니까 비가 올 것 같아요.
- 병원에 입원한 걸 보니까 많이 다쳤나 보다.

연습1 알맞은 것을 골라 문장을 완성하십시오.

| 얼굴이 닮다 | 밖이 조용하다 | 연락이 통 없다 |
| 표정이 안 좋다 | 서점에 자주 가다 | 음식을 많이 만들다 |

❶ 리사가 _____ 무슨 고민이 있나 봐요.

❷ _____ 사람들이 다 집에 갔나 보다.

46 | 문법 3

❸ _____ 두 사람은 자매인 것 같아요.

❹ 빌리가 _____ 책을 좋아하는 것 같아요.

❺ _____ 집에 손님이 오나 봐요.

❻ 칸에게서 _____ 요즘 바쁜가 봐요.

연습2 **보기** 와 같이 문장을 완성하십시오.

> **보기** 밥을 급하게 먹다
>
> ⇨ 밥을 급하게 먹는 걸 보니까 배가 많이 고팠나 봐요.

❶ 불이 꺼지다

⇨ ....

❷ 시계를 자주 보다

⇨ ....

❸ 집이 깨끗하다

⇨ ....

❹ 눈이 빨갛다

⇨ ....

❺ 머리를 짧게 자르다

⇨ ....

❻ 경찰이 오다

⇨ ....

빌리는 왜 키가 클까요?

빌리 가족의 키

- 아버지: 185cm
- 어머니: 178cm
- 빌 리: 190cm
- 동 생: 187cm

설명

동사 잖아(요)

  '-잖아(요)'는 동사에 붙어 듣는 사람도 이미 알 것이라고 생각하는 것을 말할 때 사용한다. 주로 친구나 가까운 관계에서 사용하며 윗사람에게는 거의 사용하지 않는다.

- 가: 빌리가 태권도장에 가네.
  나: 태권도를 배우고 있잖아.
  가: 아직도 배우는구나.
- 가: 호세는 내일도 모임에 안 오나 봐.
  나: 면접이 있잖아.
  가: 아, 그랬지?
- 가: 밖이 왜 이렇게 시끄럽지?
  나: 오늘부터 축제잖아. 몰랐어?

알맞은 것을 골라 대화를 완성하십시오.

| 성격이 좋다 | 다리를 다치다 | 음식이 맛있다 | 일본어를 공부하다 |

❶ 가: 이 식당은 항상 손님이 많네.

　나: ....

❷ 가: 지훈은 사람들한테 인기가 많은 것 같아.

　나: ....

❸ 가: 오늘 다니엘이 학교에 안 왔네.

　나: ....

❹ 가: 빌리는 일본어를 정말 잘해요.

　나: ....

대화를 완성하십시오.

❶ 가: 지하철에 사람이 많네.

　나: ....

❷ 가: 그 배우에 대해 많이 아네요.

　나: ....

❸ 가: 요즘 감기에 걸린 사람이 많은 것 같아요.

　나: ....

❹ 가: 다니엘은 돼지고기를 안 먹네요.

　나: ....

17 [동사] 았었/었었

준비 다음을 보고 이야기해 보십시오.

가

호주(10년 전)

나

한국(지금)

설명

┤ [동사] **았었/었었** ├

'-았었/었었-'은 동사에 붙어 과거에 완료되어 현재는 그 동작이나 상태가 지속되지 않는 일을 나타낼 때 사용한다.

- 전에는 사진 찍는 것을 좋아했었다.
- 나타폰은 어렸을 때 머리가 길었었다.
- 작년에는 이 옷이 아이에게 컸었는데 지금은 잘 맞네요.

연습1 다음 두 문장을 읽고 어떻게 다른지 이야기해 보십시오.

❶ ① 부산에 살았어요.

② 부산에 살았었어요.

❷ ① 고향 친구가 한국에 왔어요.

② 고향 친구가 한국에 왔었어요.

❸ ① 컴퓨터가 고장 났어요.

② 컴퓨터가 고장 났었어요.

❹ ① 감기에 걸렸어요.

　② 감기에 걸렸었어요.

연습 2　보기 **와 같이 문장을 완성하십시오.**

> 보기　전에는 운동을 했어요. 그런데 지금은 안 해요.
>
> 　⇨ 전에는 운동을 <u>했었어요.</u>

❶ 전에는 드라마를 자주 봤어요. 그런데 요즘에는 거의 못 봐요.

　⇨ 전에는 드라마를 자주 ＿＿＿＿＿＿＿＿＿＿＿＿＿＿＿＿＿＿

❷ 지난 학기에는 매주 노래방에 갔어요. 그런데 이번 학기에는 안 가요.

　⇨ 지난 학기에는 매주 노래방에 ＿＿＿＿＿＿＿＿＿＿＿＿＿＿＿

❸ 제가 어렸을 때는 바나나가 비쌌어요. 그런데 지금은 아주 싸요.

　⇨ 제가 어렸을 때는 바나나가 ＿＿＿＿＿＿＿＿＿＿＿＿＿＿＿＿

❹ 작년에는 회사에 다녔어요. 그런데 지금은 학생이에요.

　⇨ 작년에는 학생이 ＿＿＿＿＿＿＿＿＿＿＿＿＿＿＿＿＿＿＿＿

연습 3　보기 **와 같이 이야기해 보십시오.**

> 보기　어렸을 때는 언니와 자주 싸웠었어요.

과거	현재
언니와 싸웠다.	언니와 싸우지 않는다.

명사 에 따라(서)

준비 비행기 표 가격에 대해 이야기해 보십시오.

제주 할인항공권

| 여행여정 ▸ | ● 전체 ○ 왕복 ○ 편도 | 출발도시 ▸ ● 전체 ○ 김포 ○ 청주 ○ 부산 ○ 제주 | 도착도시 ▸ ● 전체 ○ 제주 ○ 김포 |
| 가는일자 ▸ | ▦ | 여행기간 ▸ ● 전체 ○ 당일/편도 ○ 1박2일 ○ 2박3일 ○ 3박4일 | |

◎대한항공 ✈아시아나항공 ⚞진에어 🌙제주항공 ✈이스타항공 ✈티웨이항공 AIR BUSAN 에어부산

여정	가는편	기간	항공		가격	예약
[왕복] 김포↔제주	12/14(일) 07:00	2박 3일	✈	특가	109,420원	예약하기
[왕복] 김포↔제주	12/14(일) 08:30	2박 3일	⚞	특가	113,390원	예약하기
[왕복] 김포↔제주	12/14(일) 13:20	2박 3일	⚞	특가	124,720원	예약하기
[왕복] 김포↔제주	12/14(일) 14:45	2박 3일	✈	특가	111,070원	예약하기
[왕복] 김포↔제주	12/15(월) 07:10	2박 3일	✈	특가	111,510원	예약하기
[왕복] 김포↔제주	12/15(월) 15:05	2박 3일	✈	특가	113,600원	예약하기
[왕복] 김포↔제주	12/16(화) 09:25	2박 3일	✈	특가	108,100원	예약하기

설명

┤ **명사 에 따라(서)** ├

'에 따라(서)'는 명사에 붙어 사실이나 변화의 기준(criterion, 基準)을 나타낸다. '에 따라(서)' 뒤에는 주로 '다르다, 달라지다, 결정되다, 변하다, 바뀌다' 등이 온다.

• 날씨에 따라서 옷차림이 달라져요.
• 음식은 만드는 사람에 따라서 맛이 다르다.
• 경기 결과에 따라 순위가 바뀔 수 있습니다.

변화의 기준을 메모해 보고 문장을 완성하십시오.

❶ 비행기 표 가격	❷ 옷차림	❸ 음식의 맛	❹ 여행 준비물	❺ 월세
좌석 ( )				

❶ 비행기 표 가격은 좌석에 따라서 다릅니다.

   비행기 표 가격은 (   )에 따라서 ....

❷ 옷차림은 ....

❸ 음식의 맛은 ....

❹ 여행 준비물은 ....

❺ 월세는 ....

연습2 **문장을 완성하십시오.**

❶ .... 기분이 달라져요.

❷ .... 제품의 품질이 달라집니다.

❸ .... 여행지가 결정된다.

❹ .... 먹고 싶은 음식이 달라집니다.

❺ .... 표정이 바뀐다.

19 동작동사 아/어 놓다/두다

준비 다음을 보고 이야기해 보십시오.

설명

┤ 동작동사 아/어 놓다/두다 ├

'-아/어 놓다/두다'는 동작동사에 붙어 어떤 일이나 동작이 완료되고 그 완료된 상태를 그대로 지속함을 나타낼 때 사용한다. '놓다'와 '두다'는 큰 의미 차이 없이 사용할 수 있다.

- 무서워서 밤새 불을 켜 놓았어요.
- 가족사진을 벽에 걸어 놓았어요.
- 겨울 옷은 상자에 넣어 둘까요?
- 의자에 놓아둔 가방이 없어졌어요.

  : '놓다'와 '두다'는 '놓아두다'로 사용할 수 있지만 '두어 놓다(×)'의 형태로는 쓸 수 없다.

'-아/어 놓다/두다'는 준비의 의미로 사용하기도 한다. 이때는 부사 '미리'와 자주 결합한다.

- 회의 전에 자료를 정리해 두세요.
- 약속 시간에 늦을 것 같아서 미리 연락해 놓았어요.

연습 1 빌리의 방입니다. 다음을 이용하여 이야기해 보십시오.

걸다 놓다 닫다 벗다 열다 켜다 틀다 올리다 펼치다

연습 2 보기와 같이 대화를 완성하십시오.

> 보기 가: 김 부장님 전화번호 알아요?
>
> 나: 네. 제가 휴대폰에 **저장해 놓았어요**. (저장하다)

❶ 가: 엄마, 수박 어떻게 해요?

　나: 냉장고에 _____ (넣다)

❷ 가: 영화표는 _____ ? (예매하다)

　나: 그럼. 지난주에 벌써 예매했어.

❸ 가: 벌써 여행 짐을 다 _____ ? (싸다)

　나: 네. 다음 주에는 시간이 없어서요.

❹ 가: 여기 영수증들 못 봤어요?

　나: 필요 없는 것 같아서 버렸어요.

　가: 뭘 좀 확인하려고 _____ (모으다)

동사 아도/어도

준비 다음을 보고 이야기해 보십시오.

설명

동사 아도/어도

'-아도/어도'는 동사에 붙어 앞의 상황이 뒤의 상황에 영향을 주지 못할 때 사용한다.

- 무슨 일이 있어도 포기하지 마세요.
- 어렸을 때는 돈이 없어도 행복했다.
- 연휴가 짧아도 이번 추석에는 고향에 꼭 갈 겁니다.

말하는 내용을 강조하고 싶을 때 '아무리'를 사용하기도 한다.

- 아무리 비싸도 그 차를 꼭 사고 싶다.
- 아무리 피곤해도 운동은 꼭 해야 해요.

연습1 알맞은 것을 연결하여 문장을 완성하십시오.

❶ 휴가가 짧다   •   •   친구가 오지 않았어요

❷ 날씨가 덥다   •   •   계속 졸려요

❸ 한 시간을 기다리다   •   •   고향에 다녀올 거예요

❹ 커피를 많이 마시다   •   •   실력이 좋아지지 않네요

❺ 매일 농구를 연습하다   •   •   에어컨을 켜 놓고 자지 마세요

❶ 휴가가 짧아도 고향에 다녀올 거예요.

❷

❸

❹

❺

연습2 문장을 완성하십시오.

이름	상황	상황에 관계없이 하는 행동
❶ 리사	주위가 시끄럽다	책을 읽을 수 있다
❷ 빌리	바쁘다	숙제를 꼭 한다
❸ 나타폰	피곤하다	샤워를 꼭 하고 잔다
❹ 제시카	시간이 없다	매일 이메일을 확인한다
❺ 칼리드	배가 부르다	후식을 꼭 먹는다
❻ 나		

❶ 리사는 주위가 시끄러워도 책을 읽을 수 있어요.

❷ 빌리는

❸ 나타폰은

❹ 제시카는 ....

❺ 칼리드는 ....

❻ 저는 ....

연습 3 **보기 와 같이 이야기해 보십시오.**

> 보기 가: 제시카 씨는 어떤 집으로 이사하고 싶으세요?
>
> 나: 회사에서 좀 멀어도 깨끗한 집으로 이사하고 싶어요. 수지 씨는요?
>
> 가: 저는 비싸도 교통이 편한 곳이 좋아요.

❶ 어떤 집으로 이사하고 싶으세요? ....

❷ 어떤 휴대폰을 사고 싶으세요? ....

❸ 어떤 직업을 갖고 싶으세요? ....

❹ 어떤 사람과 결혼하고 싶으세요? ....

메모

21 동작동사 자마자

준비 리사는 아침에 일어나서 무엇을 합니까?

설명

┤ 동작동사 **자마자** ├

'-자마자'는 동작동사에 붙어 어떤 일이나 동작이 끝나고 곧바로 다음 일이나 동작이 일어남을 말할 때 사용한다.

- 요즘은 너무 피곤해서 침대에 눕자마자 잠이 들어요.
- 사고가 나자마자 경찰서에 신고를 했습니다.
- 그 회사의 새 휴대폰이 나오자마자 큰 관심을 끌었다.
- 퇴직하자마자 세계 여행을 떠날 거예요.

연습1 알맞은 것을 연결하여 문장을 완성하십시오.

❶ 집에 들어가다 •　　　　　　　　• 연락할게

❷ 아침에 일어나다 •　　　　　　　　• 불을 켜요

❸ 고향에 도착하다 •　　　　　　　　• 물을 마시면 건강에 좋아요

❹ 그 사람을 보다 •　　　　　　　　• 시원한 바람이 불어왔다

❺ 창문을 열다 •　　　　　　　　• 첫눈에 반했어요

❶ 집에 들어가자마자 불을 켜요.

❷ ....

❸ ....

❹ ....

❺ ....

연습2 **보기** 와 같이 문장을 만드십시오.

> **보기** 한국, 부모님 ⇨ 한국에 도착하자마자 부모님께 전화를 드렸어요.

❶ 졸업, 취직　　　⇨ ....

❷ 이사, 집들이　　⇨ ....

❸ 결혼식, 신혼여행　⇨ ....

❹ 불, 소방서　　　⇨ ....

❺ 6시, 퇴근　　　⇨ ....

22 **동작동사** (으)려면

준비　이 사람은 무엇을 해야 할까요?

한국 회사에 취직하고 싶어요.

설명

┌─ **동작동사** (으)려면 ─┐

　'-(으)려면'은 '-(으)려고 하면'의 준말로 동작동사에 붙어 '어떤 일을 할 의도나 생각이 있으면'의 뜻을 나타낸다. '-(으)려면' 뒤에는 주로 '-아야/어야 하다/되다'와 같은 표현이 자주 쓰인다.

- 한국 회사에 취직하려면 어떻게 해야 됩니까?
- 사장님을 만나시려면 내일 오전에 오세요.
- 배운 것을 잊어버리지 않으려면 복습을 해야 돼요.
- 좋은 결과를 얻으려면 꾸준히 노력해야 한다.

연습1 문장을 연결하십시오.

❶ 면접을 잘 보다, 미리 연습하다

⇨ ....

❷ 비행기 시간에 늦지 않다, 5시에 출발하다

⇨ ....

❸ 인터넷으로 표를 예매하다, 먼저 회원 가입을 하다

⇨ ....

❹ 나중에 후회하지 않다, 전공 선택을 잘 하다

⇨ ....

❺ 비자를 연장하다, 무엇이 필요하다

⇨ ....?

연습2 대화를 완성하십시오.

❶ 가: 어디에 가면 싸고 좋은 물건을 살 수 있죠?

나: .... 남대문시장에 가세요.

❷ 가: 글을 잘 쓰고 싶은데 잘 안 돼요.

나: .... 먼저 독서를 많이 해야 해요.

❸ 가: 이 옷을 환불하고 싶은데요.

나: .... 영수증이 필요한데 가지고 오셨어요?

가: 네. 여기 있습니다.

❹ 가: 영화표 예매했어?

나: 아니, 아직 안 했어.

가: 주말에 .... 미리 예매해야 돼.

연습3 **보기**와 같이 이야기해 보십시오.

> **보기** 다니엘: 무역 회사에서 일하고 싶어요.
>
> ⇨ 무역 회사에서 일하려면 언어 공부를 열심히 해야 합니다.

❶ 칼리드: 한국어를 잘하고 싶어요.

⇨ ....

❷ 올가: 요리를 잘하고 싶어요.

⇨ ....

❸ 칸: 다른 사람들에게 좋은 인상을 주고 싶어요.

⇨ ....

❹ 왕밍: 꿈을 이루고 싶어요.

⇨ ....

메모

동사 **는지/(으)ㄴ지 (알다/모르다)**

준비   빌리는 무엇을 알고 싶어서 질문을 했을까요?

> 명동에 ＿＿＿＿＿＿＿ 알아요?

> 네. 지하철 4호선을 타고 명동역에서 내리면 돼요.

설명

┤ 동사 **는지/(으)ㄴ지 (알다/모르다)** ├

'-는지/(으)ㄴ지'는 어떤 사실에 대해 질문하거나 확인하고 싶을 때 사용한다.
- 사물놀이 수업을 몇 시에 하는지 알아요?
- 통영이 어디에 위치한 도시인지 모른다.
- 호주의 수도가 어디인지 알아요?
- 어제 몇 시에 잠이 들었는지 모르겠어요.

'-는지/(으)ㄴ지'는 다음과 같이 사용하기도 한다.
- 대답을 안 하면 아는지 모르는지 모르니까 꼭 대답해 주세요.
- 그 친구가 한국어를 할 수 있는지 없는지 모르겠다.
- 뒷모습만으로는 남자인지 여자인지 모르는 경우도 있다.

또한 '알다, 모르다' 이외에 '이야기하다, 생각하다, 궁금하다, 기억하다, 가르치다, 알리다' 등과 같은 표현을 쓸 수 있다.
- 다른 나라에서는 명절에 무엇을 하는지 궁금해요.
- 회의 시간에 무슨 이야기를 했는지 기억해요?
- 어떤 글이 좋은 글인지 생각해 봅시다.

빈칸을 채우십시오.

동작동사	–는지	–았는지/었는지	–(으)ㄹ지
먹다			
가다			
듣다			
만들다			
상태동사	–(으)ㄴ지	–았는지/었는지	–(으)ㄹ지
좋다			
예쁘다			
덥다			
멀다			
어떻다			
맛있다	맛있는지		
명사	인지	이었는지/였는지	일지
학생			
의사			

* 동작동사의 경우 상대방의 의지나 계획을 말할 때는 '–(으)ㄹ 건지'로 쓸 수 있다.

연습2 보기와 같이 문장을 연결하십시오.

> 보기 이태원에 어떻게 가요? 알아요?
>
> ⇨ <u>이태원에 어떻게 가는지 알아요?</u>

❶ 경희대학교가 어디에 있어요? 알아요?

⇨ ....

❷ 내일 날씨가 어때요? 알고 싶어요.

⇨ ....

❸ 그 사람 이름이 뭐예요? 몰라요.

⇨ ....

❹ 마지막으로 언제 영화를 봤어요? 모르겠어요.

⇨ ....

❺ 등산을 갈 수 있어요? 갈 수 없어요? 알려 주세요.

⇨ ....

연습 3   보기 와 같이 대화를 완성하십시오.

> 보기   가: 한글을 <u>누가 만들었는지 아세요?</u>
>   나: 네. 세종대왕이 만들었어요.

❶ 가: 제시카 씨가 어디에 살아요?

　 나: 저도 ....

❷ 가: 회사 야유회를 언제 가요?

　 나: 글쎄요. 저도 ....

❸ 가: 그 영화가 .... ?

　 나: 그 영화는 다음 주 주말에 개봉해요.

❹ 가: 제주도에 가려고 하는데 봄이 좋을까? 가을이 좋을까?

　 나: 글쎄. ....

동사 **(으)며**

다음을 읽고 밑줄 친 부분의 의미를 생각해 보십시오.

> 면접을 볼 때 헤어스타일은 짧고 깨끗한 것이 좋<u>으며</u> 화장은 진하지 않은 것이 좋다.

설명

┌─ 동사 **(으)며** ─┐

　'-(으)며'는 동사에 붙어 둘 이상의 동작이나 상태를 나열할 때 사용한다. '-(으)며'는 '-고'와 대부분의 경우 바꾸어 쓸 수 있다. 셋 이상의 동작이나 상태를 연결할 때는 '-고 -(으)며'를 사용한다.

- 봄은 날씨가 따뜻하며 꽃들이 많이 핀다.
- 서울은 한국의 수도이며 경제의 중심지이다.
- 이번 국제회의에 누가 왔으며 어떤 회의가 있었는지 보고서를 작성 중이다.
- 한강 공원에서는 산책을 할 수 있고 운동도 할 수 있으며 오리 배도 탈 수 있다.

　'-(으)며'는 동시에 이루어지는 두 가지 이상의 일이나 동작을 나타낼 때도 사용한다.

- 공연을 보며 식사를 하는 좌석은 일찍 매진되었다.
- 거래처 직원은 상품 안내서를 보여 주며 자세히 설명했다.
- 다른 팀의 발표를 들으며 질문할 것을 메모했다.

연습1 **문장을 연결하십시오.**

❶ 이번 영화제는 다음 달 2일에 개막하다, 총 297편의 영화가 상영될 예정이다

⇨ ....

❷ 이 회사의 직원은 대부분 한국 사람이다, 경영학과 국제관계학을 전공하다

⇨ ....

❸ 우리 학교는 1949년에 세워지다, 현재 서울, 수원, 광릉에 캠퍼스가 있다

⇨ ....

❹ 제시카는 라디오를 듣다, 청소를 하다

⇨ ....

❺ 대화할 때는 상대방의 눈을 보다, 이야기하는 것이 좋다

⇨ ....

❻ 사람들이 눈을 맞다, 회사로 출근하다

⇨ ....

연습2 **알맞은 것을 골라 글을 완성하십시오.**

덥다	만들다	따뜻하다	쾌적하다

한국은 비교적 사계절이 뚜렷하지만 최근 봄과 가을의 길이가 짧아지고 있다. 하지만 보통 3~5월은 봄, 6~8월은 여름, 9~11월은 가을, 12~2월을 겨울이라고 한다.

봄은 날씨가 (   ) 꽃들이 많이 핀다. 그래서 사람들은 봄에 고궁으로 꽃구경을 간다.

여름은 날씨가 (   ) 비도 자주 온다. 특히 비가 많이 내리는 때를 장마철이라고 하는데 장마가 끝나면 날씨가 무척 더워진다. 사람들은 더위를 피해 바다와 산으로 휴가를 떠난다.

가을은 시원하고 (   ) 단풍이 아름답다. 사람들은 단풍을 구경하기 위해 내장산과 설악산에 많이 간다.

겨울은 아주 춥고 눈도 많이 내린다. 눈이 오면 아이들은 눈싸움을 하고 눈사람도 (   ) 즐거운 시간을 보낸다.

25 동작동사 는 바람에

준비 모자가 왜 날아갔을까요?

설명

┤ 동작동사 **는 바람에** ├

'-는 바람에'는 동작동사에 붙어 어떤 일이 갑자기 생겼거나 예상하지 못한 일이 생겼을 때 사용한다.

- 갑자기 비가 오는 바람에 등산을 갈 수 없었습니다.
- 사고가 나는 바람에 제시간에 도착하지 못했다.
- 친구가 연락 없이 오는 바람에 약속을 지킬 수 없었어요.
- 달리기 시합에서 앞 친구가 넘어지는 바람에 제가 1등을 했어요.

연습1 맞으면 ◯, 틀리면 ✕ 하십시오.

❶ 배가 아프는 바람에 친구를 못 만났다.   (   )

❷ 늦잠을 잤는 바람에 아침을 못 먹었다.   (   )

❸ 다리를 다치는 바람에 야구를 할 수 없었다.   (   )

❹ 카드 비밀번호를 잊어버린 바람에 돈을 못 찾았다.   (   )

연습 2 **보기**와 같이 문장을 완성하십시오.

> **보기** 지하철을 놓치다
>
> ⇨ 지하철을 놓치는 바람에 회의에 늦었다.

❶ 지갑을 잃어버리다

⇨ ....

❷ 눈이 오다

⇨ ....

❸ 컴퓨터가 고장 나다

⇨ ....

❹ 버스가 갑자기 멈추다

⇨ ....

연습 3 대화를 완성하십시오.

❶ 가: 왜 약속에 늦었어요?

나: .... 늦었어요.

❷ 가: 여행 잘 다녀왔어요?

나: 아니요. .... 못 갔어요.

❸ 가: 저녁은 드셨어요?

나: 아니요. .... 밥을 못 먹었어요.

❹ 가: 시험 준비는 많이 했어?

나: 아니. .... 시험공부를 하나도 못 했어.

준비 나타폰이 어떻게 대답할까요?

어제 빌리 경기는 어땠어?

설명

─┤ 동사 **더라/더군(요)** ├─

'-더라/더군(요)'는 동사에 붙어 말하는 사람이 직접 보거나 듣거나 경험해서 알게 된 사실을 말할 때 사용한다.

• 어제 영화관에서 빌리가 나타폰하고 영화를 보더라.
• 그 배우의 목소리가 정말 좋더라.
• 불꽃 축제의 규모가 매우 크더군요.
• 그 사람이 한국에서는 유명한 가수더군요.

과거에 경험한 때를 기준으로 동작이 진행 중인 경우 '-더라/더군(요)', 동작이 완료된 경우 '-았더라/었더라, -았더군(요)/었더군(요)'를 사용한다.

"리사가 라면을 먹더라."
: 라면을 먹고 있는 리사의 모습을 본 후 다른 사람에게 전할 때

"리사가 라면을 먹었더라."
: 라면을 다 먹은 리사의 모습을 본 후 다른 사람에게 전할 때

연습1 | 보기 와 같이 대화를 완성하십시오.

> 보기 가: 제가 빌려준 책은 다 읽었어요?
>
> 나: 네. **이야기가 정말 재미있더군요.** (이야기가 정말 재미있다)

❶ 가: 어제 본 영화는 어땠어요?

　　나: _____ (배우들이 연기를 잘하고 배경 음악도 좋다)

❷ 가: 시험은 어렵지 않았어요?

　　나: 네. _____ (예상보다 어렵지 않다)

❸ 가: 다니엘이 한국어 말하기 대회에서 발표를 잘했어?

　　나: 응. _____ (긴장도 하지 않고 연습 때보다 더 잘하다)

❹ 가: 백화점에 사람이 많았지?

　　나: 아니. _____ (세일이 끝나서 사람이 별로 없다)

연습2 글을 완성하십시오.

> 보고 싶은 친구에게
>
> 안녕! 방학은 잘 보내고 있어?
>
> 　난 지금 가족들과 제주도 여행 중이야. 어제는 협재 해수욕장에 다녀왔어. 협재 해수욕장은 정말 ❶ _____. 그리고 저녁에 유명한 식당에서 삼겹살을 먹었어. 그런데 다른 곳에서 먹은 것보다 ❷ _____. 제주도 돼지고기가 유명한 이유를 알겠더라. 아름다운 곳에서 맛있는 음식을 먹으니까 네가 더 ❸ _____. 다음에 꼭 같이 가자.
>
> 　　　　　　　　　　　　　　　　　　　　　　　　제주도에서 빌리가

준비 교실에 누가 있습니까?

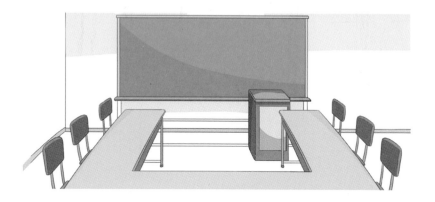

설명

아무 명사 도

'아무'는 사람이나 사물을 가리키는 말로 어느 하나를 정하지 않고 말할 때 사용한다. 명사에 '도'가 붙으면 뒤에는 반드시 부정 표현이 와야 한다. '아무' 뒤에 사람이 올 경우 '아무도', 사물은 '아무것도', 장소는 '아무 데도'를 사용한다.

- 아무도 만나기 싫다.
- 가방에 아무것도 없어요.
- 주말에 아무 데도 안 갔습니다.

'약속, 계획, 일, 말, 소식, 연락, 정보' 등의 경우에는 다음과 같이 사용한다.

- 아직 아무 계획도 없어요.
- 그 사람한테서 아무 연락도 못 받았는데요.

'에게, 하고' 등과 같은 조사와 함께 쓸 수 있다.

- 그 사람은 입이 무거워서 비밀을 아무에게도 말하지 않는다.
- 입사한 지 얼마 안 돼서 아직 아무하고도 친하지 않습니다.

보기와 같이 문장을 완성하십시오.

> **보기** 교실에 학생들이 없어요. 선생님도 안 계세요.
>
> ⇨ 교실에 **아무도** 없어요.

❶ 제일 친한 친구한테도 말 안 했어요. 엄마한테도 말 안 했어요.

⇨ _____ 말 안 했어요.

❷ 지갑을 잃어버렸어요. 옷도 못 샀어요. 신발도 못 샀어요.

⇨ _____ 못 샀어요.

❸ 어제 학교에 안 갔어요. 식당에도 안 갔어요.

⇨ 어제 _____ 안 갔어요. 집에만 있었어요.

❹ 가족하고 살고 싶지 않아요. 친구하고도 살고 싶지 않아요.

⇨ _____ 살고 싶지 않아요.

❺ 아기가 자고 있어요. 떠들지 마세요. 전화 통화도 하지 마세요.

⇨ _____ 하지 마세요. 아이가 깨면 안 돼요.

연습2 대화를 완성하십시오.

❶ 가: 아침 먹었어요?

나: 늦게 일어나서 _____

❷ 가: 이번 연휴에 어디에 갈 거예요?

나: 면접시험을 준비해야 돼서 _____

❸ 가: 지금 집에 누가 있어요?

나: 가족들이 모두 출근해서 _____

❹ 가: 내일 회식이 있는데 동료들에게 연락했어요?

나: 바빠서 아직 _____

연습 3 알맞은 말을 골라 글을 완성하십시오.

아무도   아무것도   아무 데도   아무 말도

아침에 늦게 일어나서 ❶ _____ 못 먹고 택시를 타고 학교에 갔다. 9시 20분쯤 겨우 교실에 도착했는데 ❷ _____ 오지 않았다. 이상한 생각이 들어서 달력을 보니 토요일이었다.

배가 고파서 학교 근처 식당에 가려고 나왔다. 그런데 문을 연 곳이 ❸ _____ 없었다. 결국 집에 가서 혼자 라면을 끓여 먹었다. 같이 사는 친구가 "주말인데 아침 일찍 어디에 갔다 왔어?" 라고 물었다. 나는 ❹ _____ 하지 못했다.

메모

준비   여러분은 관광 안내소에 가 본 적이 있습니까? 그곳에서 무엇을 물어봤습니까?

설명

┤ 동작동사 나(요)?, 상태동사 (으)ㄴ가(요)? ├

'-나(요)?', '-(으)ㄴ가(요)?'는 동사에 붙어 어떤 것을 상대방에게 부드럽게 또는 완곡하게 물어볼 때 사용한다. 주로 공적이거나 낯선 관계 그리고 친분이 있으나 먼 관계에서 사용한다.

- (여행사에서)
  고객: 이번 여행은 몇 시에 출발하나요?
  직원: 10시에 출발합니다.
- (전자 상가에서)
  고객: 요즘 어느 제품이 인기가 많은가요?
  점원: 이 제품이 잘 팔립니다.
- (가게에서)
  고객: 이게 새로 나온 제품인가요?
  점원: 네. 이번에 새로 나온 겁니다.
- (도서관에서)
  학생: 열람실은 어디에 있나요?
  직원: 저쪽으로 가시면 됩니다.
- 여기에 앉아도 되나요?
- 과장님, 언제 귀국하시나요?

연습1 빈칸을 채우십시오.

동작동사	-나요?	-았나요/었나요?	-(으)ㄹ 건가요?
먹다			
가다			
살다			
상태동사	**-(으)ㄴ가요?**	**-았나요/었나요?**	
많다			
작다			
길다			
쉽다			
맛있다	맛있나요?		
명사	**인가요?**	**이었나요/였나요?**	
학생			
의사			

연습2 보기 와 같이 문장을 바꾸어 쓰십시오.

> 보기 서울에 있는 서점 중에 어느 서점이 가장 큰지 알고 싶어요.
>
> ⇨ 서울에 있는 서점 중에 어느 서점이 가장 큰가요?

❶ 경희대학교까지 어떻게 가는지 알고 싶어요.

⇨ _____

❷ 한국 문화를 체험할 수 있는 곳이 어디인지 알고 싶어요.

⇨ _____

❸ 한국 전자에 취직하고 싶은데 무엇을 준비해야 하는지 모르겠어요.

⇨ ....

❹ 서울 백화점에 전화를 해야 하는데 번호를 모르겠어요.

⇨ ....

연습3 대화를 완성하십시오.

❶ (식당에서)

가: ....

나: 저희 식당은 11시 반에 문을 엽니다.

❷ (가게에서)

가: ....

나: 네. 저희 제품이니까 교환해 드리겠습니다.

❸ (백화점에서)

가: ....

나: 스포츠 의류는 6층에 있습니다. 저쪽에 있는 에스컬레이터를 이용하시면 됩니다.

❹ (인터넷 쇼핑몰 직원과 전화로)

가: ....

나: 주문하신 물건은 내일쯤 배송될 겁니다.

연습4 다음을 읽고 문장을 만드십시오.

> 친구와 여행을 가서 그 도시에 있는 기차역에 도착했다. 아직 호텔 예약을 하지 못했는데 어떻게 해야 할지 몰라서 관광 안내소에 갔다. 무엇을 물어보면 좋을까?

❶ ....

❷ ....

❸ ....

메모

29 동작동사 (으)ㄹ 만하다

준비 여자가 추천한 곳은 어디입니까?

설명

┤ 동작동사 **(으)ㄹ 만하다** ├

'-(으)ㄹ 만하다'는 동작동사에 붙어 어떤 것이 그런 행동을 할 가치가 있음을 나타낼 때 사용한다. 맥락에 따라서 '아주 좋고 가치가 있음' 또는 '괜찮음'을 의미하기도 한다.

- 이 책은 청소년들이 읽을 만하다.
- 김치는 조금 맵기는 하지만 먹을 만해요.
- 이 옷은 아직 입을 만하니까 버리지 마세요.
- 가: 연휴에 놀러 가려고 하는데 가 볼 만한 곳 없을까요?
  나: 경주에 가 보세요. 벚꽃이 예뻐서 봄에 정말 가 볼 만해요.

연습1 대화를 완성하십시오.

❶ 가: 부산에 가는데 무엇을 먹으면 좋을까요?

　나: 자갈치시장에서 회를 먹어 보세요. 싱싱해서 _____ (먹다)

❷ 가: 그 영화 어땠어요?

　나: 정말 재미있게 봤어요. _____ 영화니까 꼭 한번 보세요. (보다)

❸ 가: 일본에서 손님이 오는데 _____ 사람 없어요? (통역하다)

　　나: 리사한테 한번 물어 보세요.

❹ 가: 여행을 가고 싶은데 어디로 가면 좋을까요?

　　나: 남해안 어때요? 바다가 아름답고 섬도 예뻐서 _____ (가 보다)

연습2 대화를 완성하십시오.

❶ 가: 한국 생활이 어때요?

　　나: 처음에는 힘들었는데 익숙해져서 이제 _____ (지내다)

❷ 가: 자동차가 오래돼 보이네요.

　　나: 오래되긴 했지만 고장도 잘 안 나고 아직 _____ (타다)

❸ 가: 이 가수 노래를 들어 봤어요?

　　나: 좋은지는 잘 모르겠지만 _____ (듣다)

❹ 가: 중급1 공부가 힘들지요?

　　나: 새로운 단어가 많아서 힘들긴 하지만 배우는 주제가 다양해서 _____
_____ (공부하다)

메모

_____

_____

_____

_____

_____

_____

30 동사 던

준비 졸업하고 5년 후에 친구와 같이 학교에 왔습니다. 친구에게 학교를 소개해 보십시오.

설명

동사 던

'-던'은 동사에 붙어 과거의 일을 회상하여 표현할 때 사용하며 명사 앞에서 명사를 수식한다.

- 이 과자는 제가 어렸을 때 자주 먹던 거예요.
- 서당은 옛날 사람들이 공부를 하던 곳입니다.
- 수업이 끝나니 아이들 목소리로 시끄럽던 교실이 조용해졌다.

과거에 오랫동안 한 일이나 반복한 일을 말할 때는 '-던'을 사용하고 일회적인 경험이나 과거에 완료된 일을 말할 때는 '-았던/었던'을 사용한다.

- 저기는 친구들과 자주 가던 커피숍이에요.
- 이 옷은 어릴 때 제가 자주 입던 옷이에요.
- 제가 지난 방학에 갔던 산은 한국에서 가장 높은 산입니다.
- 지난번에 소개팅에서 만났던 사람을 우연히 다시 만났습니다.

'-던'은 맥락에 따라 두 가지 의미를 나타낼 수 있다.

① 이 커피는 (유학 생활을 할 때 자주) 마시던 거예요.
② 이 커피는 (조금 전에 제가) 마시던 거예요.
  : ①은 과거의 일을 회상하는 것이고 ②는 도중에 중단된 일을 말하는 것이다.

보기 와 같이 문장을 완성하십시오.

> 보기 고등학교 때 자주 노래를 듣다, 그 노래가 라디오에서 나오다
>
> ⇨ <u>고등학교 때 자주 듣던 노래가 라디오에서 나왔다.</u>

❶ 어렸을 때 친구와 매일 만나서 놀다, 그 친구를 다시 만나다

⇨ ....

❷ 유학할 때 이 식당에서 자주 밥을 먹다, 오랜만에 그 식당에서 점심을 먹다

⇨ ....

❸ 형이 자전거를 타다, 그 자전거를 내가 타다

⇨ ....

❹ 조금 전에 이야기를 하다, 그 이야기가 기억나지 않다

⇨ ....

연습2 보기 와 같이 대화를 완성하십시오.

> 보기 가: 이 드레스는 뭐예요?
>
> 나: **결혼식 때 입었던 거예요.** (결혼식 때 입다)

❶ 가: 이 사람은 누구예요?

나: .... (같이 한국어를 공부하다)

❷ 가: 이 장난감은 뭐예요?

나: .... (어렸을 때 가지고 놀다)

❸ 가: 어디에서 찍은 사진이에요?

나: .... (생일날 친구들과 해변에 놀러 가다)

❹ 가: 이 아기 신발은 누구 거예요?

　　나: _____ (제가 태어나서 처음 신다)

연습 3　그림을 보고 질문에 답하십시오.

❶　　　　　　　　❷　　　　　　　　❸

가: 이거 제가 치워도 될까요?

나: 아니요. 치우지 마세요. 그건 제가 ❶ _____

　　　　　　　　　　　　　　　　　 ❷ _____

　　　　　　　　　　　　　　　　　 ❸ _____

메모

직접 인용

잘 듣고 남자가 무슨 말을 했는지 이야기해 보십시오.

설명

┤ **직접 인용** ├

직접 인용은 다른 사람에게서 듣거나 책에서 읽은 것을 그대로 전달하는 것을 말한다. 형태는 '" 문장 " 라고 하다'로 사용한다.

- 빌리가 "주말에 친구를 만났어요."라고 이야기했어요.
- 리사가 "주말에 뭐 했어요?"라고 물어봤어요.
- 지훈이 "주말에 영화를 보자."라고 말했다.
- 선생님께서 "수업 시간에는 한국말을 쓰세요."라고 말씀하셨다.

♀ 소리를 인용할 때는 '하고'를 사용한다.
예) "따르릉"하고 전화벨이 울렸다.

연습1 보기 와 같이 문장을 완성하십시오.

보기 나타폰: 내일부터 운동을 시작할 거예요.

⇨ 나타폰이 "내일부터 운동을 시작할 거예요."라고 했어요.

❶ 친구: 주말에 같이 음악회에 가자.

⇨ ....

❷ 직장 선배: 한국어를 참 잘하네요.

⇨ ....

❸ 하숙집 아주머니: 어디에서 왔어요?

⇨ ....

❹ 선생님: 공부 열심히 하세요.

⇨ ....

❺ 어머니: 집에 일찍 들어와라.

⇨ ....

연습 2   **알맞은 것을 연결하여 문장을 완성하십시오.**

❶ 닭　　　•　　　　　　　　　　　•　음매

❷ 고양이　•　　　　　　　　　　　•　꼬끼오

❸ 소　　　•　　　　　　　　　　　•　개굴개굴

❹ 개구리　•　　　　　　　　　　　•　야옹야옹

❶ 닭이 "꼬끼오"하고 울어요. ....

❷ ....

❸ ....

❹ ....

메모

32 간접 인용(1) 평서형

설명

┤ **간접 인용(1) 평서형** ├

간접 인용은 다른 사람에게서 듣거나 책에서 읽은 것을 전달하는 것을 말한다. 인용하는 문장에 따라 '-(는/ㄴ)다고 하다', '-냐고 하다', '-(으)라고 하다', '-자고 하다'의 형태로 쓰인다.

평서형 문장 인용의 형태는 다음과 같다.

시제	간접 인용	예문
현재	동작동사**는/ㄴ다고 하다**	빌리는 매일 아침을 **먹는다고 했다.** 리사가 주말에 친구를 **만난다고 했다.**
	상태동사**다고 하다**	빌리는 한국 친구가 **많다고 했어요.** 수지가 제주도는 겨울에도 **따뜻하다고 했어요.**
	명사**(이)라고 하다**	김진우 씨가 자기 아내의 직업은 **선생님이라고 합니다.** 칸과 제시카는 직장 **동료라고 합니다.**
과거	동사**았다고/었다고 하다**	올가는 얼마 전에 중국 여행을 **다녀왔다고 해요.** 호세가 지난달에는 너무 **바빴다고 해요.**
	명사**이었다고/였다고 하다**	제시카는 하숙집 아주머니가 좋은 **분이었다고 했어요.** 나오코는 예전에 **간호사였다고 했어요.**
미래	동사**(으)ㄹ 거라고 하다** 동사**겠다고 하다**	부장님께서 다음 달에 출장을 **떠나실 거라고 하셨어요.** 일기예보에서 내일 전국적으로 비가 **내리겠다고 했다.**

'-(는/ㄴ)다고 하다'는 주어의 생각이나 의견 등을 나타낼 때도 사용한다.

• 나는 건강이 제일 중요하다고 생각한다.
• 인생에서 성공보다 행복이 우선이라고 생각하는 사람이 많다.

빈칸을 채우십시오.

	-(는/ㄴ)다고 하다	-았다고/었다고 하다	-(으)ㄹ 거라고 하다
먹다			
가다			
가지 않다			
좋다			
크다			
크지 않다			
학생			
친구			
친구가 아니다			

연습2 │보기│와 같이 문장을 바꾸어 쓰십시오.

> │보기│ 왕밍이 "일주일에 한두 번 부모님께 전화드려요."라고 했어요.
>
> ⇨ 왕밍이 일주일에 한두 번 부모님께 전화드린다고 했어요.

❶ 제시카가 "매일 한국 신문을 읽어요."라고 했어요.

⇨ ....

❷ 선생님께서 "다음 달에 경주로 현지 학습을 갈 거예요."라고 말씀하셨어요.

⇨ ....

❸ 칼리드가 "요즘 부모님이 보고 싶어요."라고 했어요.

⇨ ....

❹ 일기예보에서 "내일은 전국적으로 눈이 오겠습니다."라고 했어요.

⇨ ....

❺ 친구가 선물을 보고 "아주 마음에 들어."라고 했어요.

⇨ _____

❻ 백화점 직원이 "다음 주 월요일에는 문을 열지 않습니다."라고 했어요.

⇨ _____

❼ 다니엘이 "이 식당은 김치찌개가 맛있어요."라고 했어요.

⇨ _____

❽ 호세가 "할아버지께서 건강이 많이 좋아지셨어요."라고 했어요.

⇨ _____

❾ 여자 친구가 "양복을 입으니까 더 멋있는 것 같아."라고 했어요.

⇨ _____

❿ 빌리가 "이건 제 가방이에요."라고 했어요.

⇨ _____

⓫ 관광 안내원이 "이곳은 옛날에는 공원이었습니다."라고 했어요.

⇨ _____

메모

_____
_____
_____
_____
_____
_____
_____

대화를 완성하십시오.

❶ 가: 나타폰은 이번 주말에 뭘 한다고 했어요?

　 나: <u>친구들을 만난다고 했어요.</u>　　　　　(친구들을 만나다)

❷ 가: 칸이 어디에 산다고 했습니까?

　 나: ⸻⸻⸻⸻⸻　　　　　(경복궁 근처에 살다)

❸ 가: 박 대리도 그 사실을 알고 있어요?

　 나: ⸻⸻⸻⸻⸻　　　　　(모르다)

❹ 가: 오늘 회의에 제시카가 참석하나요?

　 나: ⸻⸻⸻⸻⸻　　　　　(참석하지 못하다)

❺ 가: 어제가 칼리드 생일이었어요?

　 나: ⸻⸻⸻⸻⸻　　　　　(그저께가 생일이었다)

메모

33 간접 인용(2) 의문형

준비 잘 듣고 남자가 무슨 말을 했는지 이야기해 보십시오.

설명

┤ **간접 인용(2) 의문형** ├

의문형 문장의 인용은 '-냐고 하다'로 쓴다.

- 올가: 칼리드 씨, 무슨 계절을 좋아해요?
  ⇨ 올가가 칼리드에게 무슨 계절을 좋아하냐고 했다.

- 다니엘: 왕밍 씨, 어느 나라 사람이에요?
  ⇨ 다니엘이 왕밍에게 어느 나라 사람이냐고 물었다.

- 빌리: 리사 씨, 한국에서 여행을 많이 했어요?
  ⇨ 빌리가 리사에게 한국에서 여행을 많이 했냐고 물어봤습니다.

- 최수지: 칸 씨, 한국에 언제까지 있을 거예요?
  ⇨ 최수지 씨가 칸 씨에게 한국에 언제까지 있을 거냐고 물었어요.

빈칸을 채우십시오.

동작동사	-냐고 하다	-았냐고/었냐고 하다	-(으)ㄹ 거냐고 하다
먹다			
가다			
듣다			
만들다			
상태동사	-냐고 하다	-았냐고/었냐고 하다	-겠냐고 하다
좋다			
크다			
덥다			
멀다			
어떻다	어떠냐고 하다		
명사	(이)냐고 하다	이었냐고/였냐고 하다	(이)겠냐고 하다
학생			
친구			

연습 2 보기 와 같이 문장을 바꾸어 쓰십시오.

> 보기   어떤 사람을 좋아하세요?
>
>   ⇨ <u>어떤 사람을 좋아하냐고 했어요.</u>

❶ 서울에서 춘천까지 기차로 얼마나 걸려요?

    ⇨ ....

❷ 콘서트가 몇 시에 시작하는지 알아요?

    ⇨ ....

❸ 지금 무슨 음악을 들어요?

⇨ ....

❹ 복권에 당첨된다면 뭘 하고 싶은가요?

⇨ ....

❺ 한국 문화를 이해하기가 어렵지 않습니까?

⇨ ....

❻ 오늘 기분이 어때요?

⇨ ....

❼ 이 운동화는 얼마예요?

⇨ ....

❽ 이 단어가 무슨 뜻이에요?

⇨ ....

❾ 어머니 생신 선물로 뭐가 좋을까요?

⇨ ....

❿ 지난 주말에 뭐 했어요?

⇨ ....

⓫ 그동안 어떻게 지냈어요?

⇨ ....

⓬ 여름휴가 때 어디에 갈 거예요?

⇨ ....

준비 잘 듣고 어머니께서 무슨 말을 했는지 이야기해 보십시오.

설명

┤ 간접 인용(3) 명령형 ├

명령형 문장의 인용은 '-(으)라고 하다'로 쓴다.

- 어머니: 아침을 꼭 먹어라.
  ⇨ 어머니께서 아침을 꼭 먹으라고 하셨다.
- 과장님: 다음 주까지 보고서를 제출하세요.
  ⇨ 과장님이 다음 주까지 보고서를 제출하라고 하셨습니다.
- 아내: 일찍 들어와요.
  ⇨ 아내가 일찍 들어오라고 했어요.

'주다'는 주어가 자기에게 필요한 것을 직접 요청하는 경우 '달라고 하다'로 사용한다.

엄마, 우유 주세요.

아이가 우유를 달라고 했어요.

준우한테 우유 좀 줘.

남편이 (아내에게) 아이에게
우유를 주라고 했어요.

연습1 보기 와 같이 문장을 바꾸어 쓰십시오.

> 보기 비서: 여기서 잠깐만 기다리세요.
>
> ⇨ 비서가 여기서 잠깐만 기다리라고 했어요.

❶ 아버지: 밤길이 위험하니까 집에 일찍 들어와라.

⇨ ....

❷ 할머니: 더우니까 창문 좀 열어라.

⇨ ....

❸ 선생님: 수업 시간에 떠들지 마세요.

⇨ ....

❹ 호세: 보고서 써야 하니까 방해하지 마.

⇨ ....

❺ 약사: 이 약을 식후 30분에 드세요.

⇨ ....

❻ 빌리: 다른 친구들에게 약속 장소를 알려 주세요.

⇨ ....

❼ 과장님: 이 서류를 제시카 씨에게 전해 주세요.

⇨ ....

❽ 손님: 영수증 좀 주시겠어요?

⇨ ....

❾ 리사: 유진아, 나 좀 도와줘.

⇨ ....

❿ 수지: 사진 좀 찍어 주세요.

⇨ ....

연습2 **보기** 와 같이 이야기해 보십시오.

> **보기** (선생님이 학생에게)
>
> ⇨ 공부를 열심히 하라고 하세요.
>
> ⇨ 지각하지 말라고 하세요.

❶ (아버지가 나에게)

⇨ ....

⇨ ....

❷ (여자 친구가 남자 친구에게)

⇨ ....

⇨ ....

❸ (아내가 남편에게)

⇨ ....

⇨ ....

메모

35 간접 인용(4) 청유형

준비　잘 듣고 여자가 무슨 말을 했는지 이야기해 보십시오.

10

설명

┤ 간접 인용(4) 청유형 ├

청유형 문장의 인용은 '–자고 하다'로 쓴다.

• 칼리드: 이번 주말에는 한강에 갑시다.

　⇨ 칼리드가 이번 주말에는 한강에 가자고 했다.

• 남편: 시간이 없으니까 쇼핑하지 말자.

　⇨ 남편이 시간이 없으니까 쇼핑하지 말자고 했어요.

연습1　**보기**와 같이 문장을 바꾸어 쓰십시오.

> **보기**　리사: 주말에 영화 한 편 볼까요?
>
> 　⇨ <u>리사가 주말에 영화를 보자고 했어요.</u>

❶ 호세: 시험 끝나고 같이 등산 갑시다.

　⇨ ....

❷ 왕밍: 날씨가 좋으니까 좀 걸을까요?

　⇨ ....

❸ 직장 동료: 퇴근 후에 가볍게 한잔할래요?

　⇨ ....

❹ 어머니: 이번 주말에 모두 같이 대청소를 하자.

⇨ ....

❺ 아내: 여보, 우리 이번 휴가에 해외여행 가요.

⇨ ....

❻ 빌리: 오늘은 피곤하니까 축구를 하지 말자.

⇨ ....

❼ 직원들: 올해는 야유회를 가지 맙시다.

⇨ ....

연습 2 | **보기** 와 같이 이야기해 보십시오.

> **보기** (아버지께)
>
> ⇨ *같이 낚시하러 가자고 말하고 싶어요.*

❶ (어머니께)

⇨ ....

❷ (친구에게)

⇨ ....

❸ (이성 친구에게)

⇨ ....

❹ (직장 동료에게)

⇨ ....

준비 잘 듣고 여자가 무슨 말을 했는지 이야기해 보십시오.

1.

2.

설명

┤ 간접 인용(5) 축약형 ├

간접 인용 축약은 간접 인용 표현을 줄인 것으로 주로 말할 때 사용한다. 형태는 다음과 같다.

문장 형태	간접 인용 축약형	예문
평서형	동작동사는/ㄴ대요	지훈이는 매일 아침을 **먹는대요**. 유진이는 내년에 유학을 **간대요**.
	상태동사대요	빌리는 한국 친구가 **많대요**. 수지가 제주도는 겨울에도 **따뜻하대요**.
	명사(이)래요	김진우 씨가 자기 아내의 직업은 **선생님이래요**. 칸과 제시카는 직장 **동료래요**.
의문형	동사냬요	비자를 연장하려면 뭘 준비해야 **하냬요**.
명령형	동작동사(으)래요	리사가 내일 모임에 꼭 **나오래요**.
청유형	동작동사재요	칼리드가 시험 끝나고 등산을 **가재요**.

보기 와 같이 문장을 바꾸어 쓰십시오.

> 보기 다니엘: 일주일에 한두 번 부모님께 전화를 드려요.
> ⇨ 다니엘은 일주일에 한두 번 부모님께 전화를 드린대요.

❶ 빌리: 제가 식당을 미리 예약해 놓았어요.

⇨ ....

❷ 리사: 결혼 후에 호주로 이민을 갈 거예요.

⇨ ....

❸ 올가: 어제 본 사람은 나타폰의 남자 친구가 아니에요.

⇨ ....

❹ 지훈: 배우자의 조건이 어떻게 돼요?

⇨ ....

❺ 과장님: 다른 사람들에게 회의 날짜를 알려 주세요.

⇨ ....

❻ 나타폰: 도서관에 사람이 많지 않아요.

⇨ ....

❼ 칸: 다시 한 번 설명해 주실래요?

⇨ ....

❽ 호세: 주말에 같이 축구할까요?

⇨ ....

❾ 직원: 여기는 금연 구역이라 담배를 피우면 안 됩니다.

⇨ ....

❿ 사장님: 제가 직접 회의를 진행하겠습니다.

⇨ ....

⓫ 칼리드: 저는 이슬람교도여서 돼지고기를 먹지 않아요.

⇨ ....

⓬ 왕밍: 대학원에 가서 동아시아 문화를 공부해 보고 싶어요.

⇨ ....

⓭ 선생님: 다문화 사회에서는 서로의 문화를 이해하는 게 중요해요.

⇨ ....

⓮ 수지: 다음 주에는 야근하지 말고 일찍 퇴근합시다.

⇨ ....

6월, 해운대 모래 축제가 열린다

부산 해운대 모래 축제가 다음 달 6일(금)에 개막된다. 매년 6월에 나흘 동안 열리는 이 축제는 지난 2005년에 처음 시작되었다. 이 축제는 모래를 재료로 이용하기 때문에 축제가 끝난 후에도 폐기물이 남지 않아서 친환경적인 축제로도 유명하다.

올해 축제에는 32개의 다양한 볼거리와 체험 행사가 준비되어 있다. 축제의 하이라이트는 세계 모래 조각전인데 미국, 네덜란드, 이탈리아 등 6개국에서 온 유명 모래 조각가 9명이 참가하여 사자, 코끼리, 기린 등 동물들을 모래로 조각해 놓았다. 일반인들도 '도전! 나도 모래 조각가'라는 행사에서 직접 동물들을 조각해 볼 수 있다.

왕밍: 와! 여기 아주 재미있는 기사가 있어.

리사: 무슨 기사인데?

왕밍: 모래 축제에 대한 기사야.

리사: 그런 축제도 있어? 언제 ❶ ....?

왕밍: 다음 달 6일에 ❷ ....

리사: 거기 가면 뭐 하는 거야?

왕밍: 모래 전시회를 볼 수 있는데 유명한 조각가들이 동물을 ❸ ....
      그리고 일반인들도 직접 ❹ ....

리사: 그래? 잘 만들면 상품도 ❺ ....?

왕밍: 그런 말은 없는데.

리사: 장소는 어디야?

왕밍: 부산 해운대에서 ❻ ....

리사: 부산? 그럼 나타폰이랑 같이 갈까?

왕밍: 나타폰은 다음 달 초에 태국에 ❼ ....

리사: 그럼 안 되겠네. 우리끼리 가야겠다.

37 [동사] 더라고(요)

준비 칼리드는 어떻게 말할까요?

제주도 여행은 어땠어요?

설명

─ [동사] 더라고(요) ─

'-더라고(요)'는 동사에 붙어 듣거나 보거나 경험해서 알게 된 사실을 다른 사람에게 전달할 때 사용한다.

- 칼리드가 축구를 잘하더라고요.
- 사인회에 외국인 팬들도 많이 왔더라고요.
- 설악산에 갔는데 공기가 정말 맑더라고.
- 알고 보니까 그 사람도 외국인이더라고.
- 중국 사람은 차를 많이 마신다고 하더라고요.
- 어머니께서 일교차가 크니까 겉옷을 가져가라고 하시더라고.

연습1 보기와 같이 문장을 완성하십시오.

보기 서울의 야경을 보고 아름답다고 느꼈다.

⇨ "서울의 야경이 아름답더라고요."

❶ 올가가 부채춤을 추는 것을 봤다.

⇨ "_____."

❷ 윤주가 새 차에서 내리는 것을 봤다.

　⇨ " ＿＿＿＿＿＿＿＿＿＿＿＿＿＿＿＿＿＿＿＿＿＿＿ ."

❸ 나타폰이 만든 음식을 먹고 맛있다고 느꼈다.

　⇨ " ＿＿＿＿＿＿＿＿＿＿＿＿＿＿＿＿＿＿＿＿＿＿＿ ."

❹ 명동에 가서 보고 한국 사람보다 외국인이 많다고 생각했다.

　⇨ " ＿＿＿＿＿＿＿＿＿＿＿＿＿＿＿＿＿＿＿＿＿＿＿ ."

연습 2 **보기** 와 같이 문장을 완성하십시오.

> **보기** 칼리드: 사우디아라비아에서는 석유가 물보다 싸요.
>
> 　⇨ <u>칼리드가 사우디아라비아에서는 석유가 물보다 싸다고 하더라고요.</u>

❶ 다니엘: 프랑스 남자는 로맨틱해요.

　⇨ ＿＿＿＿＿＿＿＿＿＿＿＿＿＿＿＿＿＿＿＿＿＿＿＿＿＿＿

❷ 빌리: 한국 사람들은 모두 축구를 좋아해요?

　⇨ ＿＿＿＿＿＿＿＿＿＿＿＿＿＿＿＿＿＿＿＿＿＿＿＿＿＿＿

❸ 호세: 수업 끝나고 당구장에 같이 갈래?

　⇨ ＿＿＿＿＿＿＿＿＿＿＿＿＿＿＿＿＿＿＿＿＿＿＿＿＿＿＿

❹ 선생님: 금요일까지 과제를 메일로 제출하세요.

　⇨ ＿＿＿＿＿＿＿＿＿＿＿＿＿＿＿＿＿＿＿＿＿＿＿＿＿＿＿

38 명사 에 비해(서)

준비 할아버지가 어때 보입니까?

85세

설명

┤ 명사 **에 비해(서)** ├

'에 비해(서)'는 명사에 붙어 어떤 대상을 다른 것과 비교하여 설명할 때 사용한다.

• 중급은 초급에 비해 문법이 어려워요.
• 작년에 비해서 물가가 많이 올랐다.
• 이 노트북은 크기에 비해 가볍다.
• 노력에 비해서 시험 결과가 안 좋다.

연습1 **보기** 와 같이 문장을 완성하십시오.

보기 이메일, 편지, 편리하다 ⇨ <u>이메일은 편지에 비해서 편리하다.</u>

❶ 시장, 백화점, 싸다 ⇨ ....

❷ 올해, 작년, 덥다 ⇨ ....

❸ 이 옷, 가격, 품질이 좋다 ⇨ ....

❹ 그 회사, 월급, 일이 많다 ⇨ ....

알맞은 것을 골라 문장을 완성하십시오.

가격	나이	실력	얼굴

❶ 그 식당은 .... 맛이 별로이다.

❷ 내 동생은 .... 성숙하다.

❸ 선글라스가 .... 너무 크다.

❹ 그 선수는 .... 연봉이 높다.

연습3 다음을 읽고 문장을 완성하십시오.

❶ 세탁기를 비싸게 샀는데 자주 고장이 난다.

⇨ 세탁기가 가격에 비해 품질이 안 좋다. ....

❷ 사람 수는 많은데 음식은 너무 적다.

⇨ 음식이 ....

❸ 말하기 점수는 좋은데 쓰기 점수는 좋지 않다.

⇨ 쓰기 점수가 ....

❹ 내 친구는 키가 큰데 발은 작다.

⇨ 내 친구는 ....

39 명사 에 따르면

준비 다음을 읽고 밑줄 친 부분의 의미를 생각해 보십시오.

KHU 뉴스에 따르면 한국인의 결혼 연령이 점점 높아지고 있다고 한다.

설명

┤ 명사 에 따르면 ├

'에 따르면'은 명사에 붙어 주장이나 진술의 근거를 나타낼 때 사용한다.

- 신문 기사에 따르면 다음 달부터 담배 값이 인상된다고 합니다.
- 통계청 자료에 따르면 지난해 교통사고가 크게 감소한 것으로 나타났다.
- 정부 조사에 따르면 국내 제품의 수출이 작년에 비해 늘었다.

연습1 보기 와 같이 문장을 완성하십시오.

보기 오늘 아침 뉴스, 다음 달부터 버스 요금이 오를 것이다

⇨ 오늘 아침 뉴스에 따르면 다음 달부터 버스 요금이 오를 것이라고 한다.

❶ 전문가, 웃음은 모든 병에 치료 효과가 있다

⇨ ....

❷ 일기예보, 올여름이 작년에 비해 많이 덥다

⇨ ....

❸ 신문 기사, 이번 주말에는 불꽃 축제로 시내 교통이 복잡할 것이다

⇨ ....

❹ 자동차 시장 조사 보고서, 올해 자동차 판매량이 증가했다

⇨ ....

40 동사 는/(으)ㄴ 편이다

준비 잘 듣고 '나'는 누구인지 찾아보십시오.

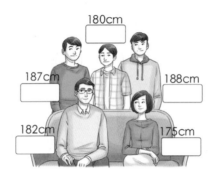

180cm

187cm   188cm

182cm   175cm

설명

⊣ 동사 는/(으)ㄴ 편이다 ⊢

'-는/(으)ㄴ 편이다'는 동사에 붙어 '어떤 일이나 상태가 어느 쪽에 가깝다'를 표현할 때 사용한다. 동작동사와 함께 쓸 때는 '잘, 자주, 많이' 등과 같은 부사를 써야 정확한 의미를 표현할 수 있다.

- 책을 한 달에 5권 읽으니까 많이 읽는 편이죠.
- 다른 친구들에 비해 시험을 잘 본 편이에요.
- 바람은 불지만 하늘은 맑으니까 날씨가 좋은 편이죠.
- 이 가게는 채소는 싼데 과일이 비싼 편이에요.

연습1 대화를 완성하십시오.

❶ 가: 한국어 공부를 하루에 2시간이나 해요? 정말 많이 하네요.

　　나: 아니에요. 제 친구는 하루에 4시간씩 하니까 저는 _____ (적게 하다)

❷ 가: 칼리드, 이 식당 단골손님인가 봐.

　　나: 단골은 아니지만 일주일에 서너 번은 오니까 _____ (자주 오다)

❸ 가: 바지는 이 사이즈로 드릴까요?

　　나: 우리 아이가 좀 _____ (크다) 더 큰 걸로 주세요.

❹ 가: 어머, 이 사람도 알아요? 정말 모르는 사람이 없네요.

　　나: 제가 좀 발이 _____ (넓다)

문장을 완성하십시오.

	매우 그렇다	그렇다	보통이다	그렇지 않다	매우 그렇지 않다
❶ 편의점에 가다				✔	
❷ 사고가 나다		✔			
❸ 회식을 하다				✔	
❹ 광고에 나오다				✔	
❺ 인기가 많다		✔			
❻ 맛있다		✔			

❶ 저는 편의점에 잘 안 가는 편이에요.

❷ 이 도로는 ....

❸ 우리 부서는 ....

❹ 탤런트 A 씨는 ....

❺ 개그맨 A 씨는 ....

❻ 학교 앞 식당 음식은 ....

연습3 여러분은 어느 쪽에 더 가까운지 이야기해 보십시오.

	매우 그렇다	그렇다	보통이다	그렇지 않다	매우 그렇지 않다
❶ 이성 친구를 많이 사귀어 봤어요?					
❷ 한국 음식을 자주 먹어요?					
❸ 운동을 자주 해요?					
❹					

준비 주문한 책을 언제 받았습니까?

일	월	화	수	목	금	토
			1	2	3	4
5	6	7 인터넷으로 책 주문	8	9	10 책 도착	11

설명

┌─ 명사 **만에** ─┐

'만에'는 어떤 일이 다시 일어나기까지의 기간이나 어떤 일이 일어나서 끝날 때까지의
기간을 나타낼 때 사용한다.

- 그 가수가 일 년 만에 새 앨범을 냈다.
- 초등학교 친구를 10년 만에 우연히 만났다.
- 오늘 낮 기온은 60년 만에 최고 기록을 깼다.
- 그는 수영을 시작한 지 12년 만에 금메달을 땄다.

🔑 인사말로는 '오래간만이에요', '오랜만이에요'를 사용한다.

연습1 보기와 같이 문장을 완성하십시오.

보기 친구와 싸운 후에 2주 동안 말을 하지 않았다. 오늘 처음 말을 했다.

⇨ **2주일 만에** 친구하고 말을 했어요.

❶ 한 달 동안 비가 오지 않았다. 한 달 후에 비가 왔다.

⇨ _____ 비가 왔어요.

❷ 아파서 화요일부터 회사에 가지 못했다. 나흘 후에 다시 회사로 출근을 했다.

⇨ _____ 출근을 했어요.

❸ 주말 동안 집에서 잠만 잤다. 월요일에 밖에 나왔다.

⇨ _____ 밖에 나왔어요.

❹ 어제 물이 나오지 않아 설거지를 하지 못했다. 오늘 물이 나와 설거지를 했다.

⇨ _____ 설거지를 했어요.

연습2 **보기** 와 같이 문장을 완성하십시오.

> **보기**　가: 요즘도 운동을 해요?
>
> 　　　나: 아니요. **시작한 지 보름 만에 포기했어요.** (시작하다, 보름, 포기하다)

❶ 가: 이 대리가 승진이 좀 빠르죠?

나: 네. _____ (입사하다, 6개월, 승진하다)

❷ 가: 지갑은 찾았어요?

나: 네. _____ (잃어버리다, 1시간, 경찰서에서 전화가 오다)

❸ 가: KTX로 부산까지 가는 데 얼마나 걸렸어요?

나: _____ (출발하다, 2시간, 도착하다)

❹ 가: 휴대폰이 언제부터 안 켜졌어요?

나: _____ (사다, 하루, 고장이 나다)

42 동작동사 지 그래(요)?

준비 지금 나타폰은 많이 아픕니다. 나타폰에게 뭐라고 말하겠습니까?

설명

┤ 동작동사 **지 그래(요)?** ├

'-지 그래(요)?'는 동작동사에 붙어 다른 사람에게 조언이나 충고를 할 때 사용한다. 주로 가까운 관계에서 사용하며 윗사람에게 사용할 수 없다.

- 가: 휴대폰 요금이 너무 많이 나와 걱정이에요.
  나: 그럼 요금제를 바꿔 보지 그래요?
- 가: 15분 동안 기다렸는데 친구가 오지 않아요.
  나: 친구에게 전화해 보지 그래요?
- 가: 내일 빨리 출근해야 하니까 일찍 자지 그래?
  나: 네, 그럴게요.

알맞은 것을 골라 대화를 완성하십시오.

| 잠깐 쉬다 | 먼저 전화하다 | 사전을 찾아보다 | 도서관에서 빌리다 |

❶ 가: 이 단어의 뜻을 잘 모르겠어요.

　　나: ....

❷ 가: 책을 사러 갔는데 책이 다 팔렸대.

　　나: ....

❸ 가: 남자 친구하고 싸우고 한참이 지났는데 연락이 없어요.

　　나: ....

❹ 가: 졸려서 일에 집중이 안 돼요.

　　나: ....

연습2 **대화를 완성하십시오.**

❶ 가: 집이 멀어서 출퇴근하는 게 힘들어요.

　　나: ....

❷ 가: 대학 전공을 뭘 선택해야 할지 모르겠어.

　　나: ....

❸ 가: 친구가 화가 났는데 어떻게 풀어 주면 될까요?

　　나: ....

❹ 가: 스트레스를 어떻게 풀면 좋을까요?

　　나: ....

❺ 가: 요즘 잠을 잘 못 자요.

　　나: ....

준비　**이 사람 얼굴이 무엇과 비슷합니까?**

설명

┤ 명사 **같다** ├

'같다'는 명사에 붙어 주어의 어떤 점이 그 명사와 비슷함을 나타낼 때 사용한다.

- 잠이 든 아기의 모습이 천사 같다.
- 동해 바다의 경치가 마치 그림 같았어요.
- 빌리는 한국어 발음이 좋아서 말하는 것만 들으면 한국 사람 같아요.
- 이 차는 산 지 5년이 됐는데 깨끗하게 사용해서 새 차 같아요.

연습1　보기 **와 같이 문장을 바꾸어 쓰십시오.**

보기　그 친구는 노래를 정말 잘해요. ⇨ *가수 같아요.*

❶ 내 동생은 아주 많이 먹어요. ⇨ _____

❷ 그 친구는 키도 크고 예뻐요. ⇨ _____

❸ 3월인데 눈이 오네요. ⇨ _____

❹ 하숙집 아주머니께서 한국 생활을 많이 도와주세요. ⇨ _____

연습2 다음을 이용하여 [보기] 와 같이 이야기해 보십시오.

그림   남자   얼음   천사   슈퍼맨   영화배우

[보기]   농구 선수: 빌리는 농구 선수 같아요. 키가 정말 커요.

❶ ....

❷ ....

❸ ....

❹ ....

❺ ....

❻ ....

연습3 다음이 무슨 의미인지 추측해 보십시오. 그리고 여러분 나라에도 비슷한 표현이 있는지 이야기해 보십시오.

❶ 호랑이 같다

   [예] 우리 선생님은 화가 나면 호랑이 같다.

❷ 고래 등 같다

   [예] 고래 등 같은 집에서 살고 싶다.

❸ 호박 같다

   [예] 얼굴은 호박 같은데 마음은 천사 같다.

❹ 태산 같다

   [예] 곧 대학을 졸업하는데 요즘 취직하기가 너무 어렵다. 걱정이 태산 같다.

연습4 맞으면 ○, 틀리면 ✗ 하십시오.

❶ 중고인데 새 것처럼 같아요.   (   )

❷ 저는 우리 회사의 가족 같은 분위기가 좋아요.   (   )

❸ 수영을 아주 잘해서 수영 선수처럼이에요.   (   )

❹ 우리 부모님과 친구처럼 같아요.   (   )

❺ 우리 선생님은 아나운서처럼 발음이 좋아요.   (   )

❻ 서울에 오래 살아서 지금은 서울이 제 고향 같아요.   (   )

메모

준비   칼리드가 뭐라고 말할까요?

중급이 초급보다 재미있죠?

설명

동사 다니(요)?

'-다니(요)?'는 동사에 붙어 상대방의 말을 듣고 이해할 수 없거나 알고 있는 사실과 달라 그 의미를 다시 확인할 때 사용한다. 주로 가까운 관계에서 사용하며 윗사람에게 사용할 수 없다.

- 가: 결혼식에 빌리가 안 보이네요.
  나: 안 보이다니요? 아까 축가를 불렀잖아요.
- 가: 이 방은 좀 좁지 않아요?
  나: 좁다니요? 지금 제 방보다 훨씬 넓은데요.
- 가: 고등학생이죠?
  나: 고등학생이라니요? 대학교도 졸업했는데요.

🔑 상대방의 의견과 같지 않을 때 사용하는 표현이므로 질문을 할 때는 듣는 사람의 기분이 상하지 않게 억양에 주의해야 한다.

연습1 보기 와 같이 대화를 완성하십시오.

> 보기 가: 집이 회사에서 가깝죠?
>
> 나: **가깝다니요?** 지하철로 두 시간이나 걸려요.

❶ 가: 이번 휴가에도 여행을 가요?

나: _____ 아직 휴가 날짜도 정하지 않았어요.

❷ 가: 운전한 지 오래됐지요?

나: _____ 면허도 없는데요.

❸ 가: 옷이 정말 잘 맞네.

나: _____ 작아서 숨 쉬기도 힘든데.

❹ 가: 여기 있던 가방 치웠어?

나: _____ 내가 들어왔을 때 아무것도 없었는데.

연습2 보기 와 같이 대화를 완성하십시오.

> 보기 가: 내일이 생일이죠? 축하해요.
>
> 나: **생일이라니요? 생일은 이미 지났는데요.** (생일이 이미 지나다)

❶ 가: 키가 참 크네요.

나: _____ (160cm밖에 안 되다)

❷ 가: 오늘 3시에 회의가 있지요?

나: _____ (어제 취소되다)

❸ 가: 휴대전화 새로 샀어요? 정말 좋아 보이네요.

나: _____ (쓴 지 3년이나 되다)

❹ 가: 해외여행을 몇 번이나 했어요?

나: _____ (비행기도 못 타 보다)

45 동사 아서/어서 그런지

준비 공원에 왜 사람이 많을까요?

설명

┤ 동사 아서/어서 그런지 ├

'-아서/어서 그런지'는 동사에 붙어 어떤 일의 원인이나 이유를 추측할 때 사용하며 주로 구어에서 사용한다.

• 빌리는 성격이 좋아서 그런지 친구들이 많아요.
• 리사는 한국 드라마를 많이 봐서 그런지 한국말을 잘하네요.
• 매운 음식을 먹어서 그런지 배탈이 났어요.
• 장남이어서 그런지 책임감이 강하네요.

연습1 알맞은 것을 연결하여 문장을 완성하십시오.

❶ 매일 연습을 하다 •   • 호텔을 예약하기가 어렵다

❷ 렌즈를 오래 끼다 •   • 피곤하다

❸ 휴가철이다 •   • 한국어 발음이 좋다

❹ 요즘 정신이 없다 •   • 눈이 아프다

❺ 어제 많이 걷다 •   • 약속을 자꾸 잊어버리다

❶ 매일 연습을 해서 그런지 한국어 발음이 좋아요.

❷ _____

❸ _____

❹ _____

❺ _____

연습2 보기 와 같이 대화를 완성하십시오.

> 보기 가: **연말이어서 그런지** 비행기 표가 비싸네요.
>
> 나: 그래요? 요즘 저가 항공도 있으니까 한번 알아보세요.

❶ 가: _____ 컴퓨터가 고장 났어요.

나: AS 센터에 연락해 보세요.

❷ 가: _____ 찬 음식이 먹고 싶어요.

나: 그럼 오늘 점심에 냉면을 먹을까요?

❸ 가: _____ 졸리네요.

나: 그럼 잠깐 눈 좀 붙여요.

❹ 가: _____ 취직하기가 어렵네요.

　 나: 그래도 포기하지 말고 면접 준비를 잘 해 보세요.

연습 3　문장을 완성하십시오.

❶ _____ 아기가 울어요.

❷ _____ 배탈이 났어요.

❸ _____ 시내에 차가 없네요.

❹ _____ 집중이 안 되네요.

메모

_____

_____

_____

_____

_____

_____

_____

_____

_____

_____

_____

_____

_____

_____

준비 리사는 어떻게 말할까요?

저도 커피요.

저는 커피 주세요.

뭘 드시겠습니까?

....

설명

┤ 명사 **요** ├

　'요'는 명사, 조사, 부사, 연결어미 등에 붙어 상대방의 질문에 요점(要點, Key point)이나 강조하고 싶은 것을 말할 때 또는 같은 말을 반복할 필요가 없을 때 사용한다. 비교적 가까운 관계에서 사용하며 윗사람에게 사용할 때는 주의해야 한다.

• 가: 아침에 뭘 먹었어요?

　나: 빵요.

• 가: 어디 가요?

　나: 도서관에요.

• 가: 퇴근했어요?

　나: 아직요.

• 가: 어제 왜 결근했어요?

　나: 아파서요.

연습1 **보기** 와 같이 문장을 바꾸어 쓰십시오.

> **보기** 가: 회식은 어디에서 해요?
>
> 나: 회사 앞 경희 식당에서 해요.
>
> ⇨ **회사 앞 경희 식당에서요.**

❶ 가: 이 책은 어디에서 살 수 있어요?

나: 학교 구내 서점에서 살 수 있어요.

⇨ ....

❷ 가: 어떤 걸로 보내시겠어요?

나: EMS로 보내 주세요.

⇨ ....

❸ 가: 회의 장소가 어디예요?

나: 9층 회의실이에요.

⇨ ....

❹ 가: 언제 출장을 가지?

나: 이번 달 말에 출장을 가요.

⇨ ....

❺ 가: 탁자 옆에 내 가방 좀 갖다 줘요.

나: 가방만 갖다 주면 돼요?

가: 아, 휴대전화도 갖다 줘요.

⇨ ....

❻ 가: 누가 제 책상에 꽃을 두고 갔는지 아세요?

나: 아까 빌리가 두고 갔어요.

⇨ ....

연습 2 밑줄 친 부분에서 생략된 것을 찾아 쓰십시오.

> 보기 가: 한국에 온 지 얼마나 됐어요?
>
> 나: <u>1년요.</u>
>
> ⇨ <u>1년 됐어요.</u>

❶ 가: 주로 어디에서 데이트를 해요?

나: <u>공원에서요.</u>

⇨ _____

❷ 가: 주로 어떻게 부모님께 연락해요?

나: <u>무료 인터넷 전화로요.</u>

⇨ _____

❸ 가: 새로 오신 과장님께서 그렇게 일을 잘하세요?

나: 네. <u>아주요.</u>

⇨ _____

❹ 가: 왜 그렇게 밥을 못 먹어요?

나: <u>소화가 안 돼서요.</u>

⇨ _____

47 동사 아/어 가지고

동사

준비 이 사람은 왜 병원에 갔습니까?

설명

┤ 동사 **아/어 가지고** ├

'-아/어 가지고'는 동사에 붙어 어떤 일의 원인이나 이유를 말할 때 사용한다. '-아서/어서'의 구어이며 '-아/어 갖고'로 줄여서 사용되기도 한다. 주로 가까운 관계에서 사용하며 비격식적 상황에서 쓴다.

- 요즘 바빠 가지고 연락을 자주 못 했어요.
- 제 동생은 성격이 좋아 가지고 친구가 많아요.
- 잠을 잘못 자 갖고 목이 아프네요.
- 가방에 책이 많아 갖고 가방이 무거워.

'-아/어 가지고'는 일부 동작동사에 붙어 어떤 일이나 동작의 순서와 차례를 나타낼 때 사용하기도 한다.

- 주말에 김밥 싸 가지고 소풍 갈래요?
- 과일을 씻어 갖고 먹어라.

연습1 대화를 완성하십시오.

❶ 가: 왜 이렇게 늦었어요?

나: 버스를 잘못 _____ 종점까지 갔다 왔어요. (타다)

❷ 가: 어제 늦어서 그 영화 다 못 봤죠?

나: 네. _____ 반쯤 보다가 잤어요. (졸리다)

❸ 가: 언니, 초콜릿은 뭘 하려고 만드는 거야?

나: _____ 남자 친구한테 주려고. (만들다)

❹ 가: 엄마가 사 온 야채 어디에 뒀니?

나: 아까 제가 깨끗이 _____ 냉장고에 넣어 뒀어요. (씻다)

연습2 맞으면 ○, 틀리면 ✕ 하십시오.

❶ 돈을 모아 가지고 여행을 가려고 해요. ( )

❷ 지하철에서 내려 가지고 다시 버스를 타세요. ( )

❸ 외투를 입어 가지고 출근하는 게 어때요? ( )

❹ 아침에 일어나 가지고 이를 닦았어요. ( )

❺ 더우니까 모자를 써 가지고 외출하세요. ( )

❻ 밥을 먹어 가지고 약을 먹어요. ( )

보기 와 같이 말해 보십시오.

> 보기 "기분이 나빠요."
>
> 🧑‍🦰 "친구하고 싸워 가지고 기분이 나빠요."
>
> 🧑 "시험을 못 봐 가지고 기분이 나빠요."

❶ 신이 났어요.

❷ 결근을 했어요.

❸ 과장님이 화가 나셨어요.

❹ 피곤해요.

❺ 밥을 안 먹었어요.

❻ 정말 행복해요.

메모

---

48 동사 (으)ㄹ 테니(까)

준비 칸이 제시카에게 무슨 말을 할까요?

이걸 언제 다 정리하지요?

.... 걱정하지 마세요.

설명

동사 (으)ㄹ 테니(까)

'-(으)ㄹ 테니(까)'는 동사에 붙어 말하는 사람의 의지나 강한 추측을 나타낼 때 사용한다. 주어가 1인칭이면 말하는 사람의 의지를 나타내고 2인칭이나 3인칭이면 말하는 사람의 추측을 나타낸다. '-(으)ㄹ 테니(까)' 뒤에는 주로 제안하거나 조언하는 말이 오며 윗사람에게 사용할 때는 주의해야 한다.

- 제가 천천히 읽을 테니까 잘 들어 보세요.
- 요리는 내가 할 테니까 너는 설거지를 해.
- 너는 꼭 성공할 수 있을 테니 걱정하지 마.
- 길이 많이 막힐 테니까 조금 일찍 출발하자.
- 모두 퇴근했을 테니까 내일 전화하세요.

연습1 알맞은 것을 연결하여 문장을 완성하십시오.

❶ 빌리가 약속 장소를 알 거예요 • • 먼저 퇴근하세요

❷ 남은 일은 제가 할게요 • • 너무 걱정하지 마십시오

❸ 가족들은 모두 괜찮을 거예요 • • 빌리랑 같이 오세요

❹ 내가 5시쯤에 갈게 • • 우리도 어서 먹자

❺ 다른 사람들은 이미 먹었을 거야 • • 집에서 기다리고 있어

❶ 빌리가 약속 장소를 알 테니까 빌리랑 같이 오세요.

❷ ....

❸ ....

❹ ....

❺ ....

연습2 대화를 완성하십시오.

❶ 가: 잘 못 들었어. 다시 한 번 말해 줘.

나: .... 이번에는 잘 들어.

❷ 가: 내가 좀 피곤해서 그런데 네가 대신 가 줄래?

나: 알았어. .... 너는 좀 쉬어.

❸ 가: 승진 시험 때문에 걱정이 많아요.

나: .... 걱정하지 마세요.

❹ 가: 과장님 생일 선물로 뭘 사는 게 좋을까요? 노트북 가방을 살까요?

나: .... 다른 걸로 해요.

❺ 가: 약을 먹었는데 계속 아파.

나: 조금 있으면 .... 좀 누워 있어.

대화를 완성하십시오.

❶ 가: 내일 손님이 10명이나 오는데 아직 청소도 못 하고 장도 못 봤어요.

　나: ....

❷ 가: 이번 주말에 동창회가 있는데 아이 때문에 갈 수가 없어요.

　나: ....

❸ 가: 친구가 유학을 갔는데 어떤 선물을 보내 주는 게 좋을까?

　나: ....

❹ 가: 약속 시간이 30분이나 지났는데도 안 오네. 어떻게 하지?

　나: ....

메모

49 동작동사 는 대로

준비 **칸은 집에 가서 무엇을 할까요?**

설명

┤ 동작동사 는 대로 ├

'-는 대로'는 동작동사에 붙어 '어떤 일이 일어난 바로 그 이후에'의 뜻을 나타낸다.

- 합격 소식을 듣는 대로 연락할게요.
- 사장님이 들어오시는 대로 메모를 전달하겠습니다.
- 날씨가 좋아지는 대로 사진을 찍으러 나가야겠다.

연습1 **문장을 완성하십시오.**

❶ 식사가 .... 출발을 합시다. (끝나다)

❷ 수업을 .... 집에 가야 해요. (마치다)

❸ 집을 .... 집들이를 할 거예요. (정리하다)

❹ 우체국이 .... EMS로 보낼게요. (문을 열다)

❺ 사람들이 모두 .... 행사를 시작하겠습니다. (모이다)

문장을 바꾸어 쓰십시오.

❶ 몸이 좋아지면 회사에 나가려고 해요.

⇨ ....

❷ 일이 끝난 후에 출발할게요.

⇨ ....

❸ 월급을 받고 쇼핑을 하려고 해요.

⇨ ....

❹ 이 책을 다 읽으면 바로 돌려 드릴게요.

⇨ ....

연습3 **알맞은 것을 골라 대화를 완성하십시오.**

날씨가 풀리다   서류가 다 준비되다   식사가 준비되다   바쁜 일이 끝나다

---

❶ 가: 지금 아침 먹을 수 있나요?

나: 조금만 기다려 주십시오. .... 드실 수 있습니다.

❷ 가: 지훈아, 다음에 같이 밥 먹자.

나: 그래. 요새는 좀 바쁘니까 .... 한번 보자.

❸ 가: 야구 연습은 언제 시작한대요?

나: .... 시작한대요.

❹ 가: 비자 신청했어요?

나: 아직요. .... 만들려고 해요.

50 동사 (는/ㄴ)다면서(요)?

준비 다음 내용이 사실인지 확인해 보십시오.

> 한국 사람들은 식사 때마다 김치를 꼭 먹는다?!
>
> 중국의 만리장성은 우주에서도 보인다⁈
>
> 사우디아라비아에서는 기름이 물보다 싸다?!

설명

┤ 동사 (는/ㄴ)다면서(요)? ├

'-(는/ㄴ)다면서(요)?'는 동사에 붙어 다른 사람에게서 들어서 알게 된 것을 확인하여 물을 때 사용한다. 주로 가까운 관계에서 사용하며 윗사람에게 사용할 때는 주의해야 한다.

- 한국에서는 토마토를 과일 가게에서 판다면서요?
- 요즘 회사 일이 많이 바쁘다면서요?
- 서울의 집값이 많이 올랐다면서요?
- 가: 모하메드 씨가 결혼을 했다면서요?
  나: 네. 지난달에 했대요.
- 가: 다음 주에 고향에 돌아갈 거라면서요?
  나: 네. 갑자기 일이 생겨서요.

🔑 말할 때는 '-(는/ㄴ)다며?'로 줄여서 쓸 수 있다.

빈칸을 채우십시오.

동작동사	-는다면서(요)/ㄴ다면서(요)?	-았다면서(요)/었다면서(요)?	-(으)ㄹ 거라면서(요)?
먹다			
가다			
듣다			
살다			
상태동사	-다면서(요)?	-았다면서(요)/었다면서(요)?	-(으)ㄹ 거라면서(요)?
좋다			
바쁘다			
맛있다			
어렵다			
멀다			
명사	(이)라면서(요)?	이었다면서(요)/였다면서(요)?	일 거라면서(요)?
학생			
의사			

연습2 보기 와 같이 문장을 완성하십시오.

> 보기 빌리가 일본어를 잘한다고 들었다. 친구에게 이 사실이 맞는지 확인한다.
>
> ⇨ "빌리가 일본어를 잘한다면서?"

❶ 왕밍이 다음 주에 토픽 시험을 본다고 들었다. 친구에게 이 사실이 맞는지 확인한다.

⇨ " .... "

❷ 호세가 감기가 심해서 일주일 동안 결석했다고 한다. 친구에게 이 사실이 맞는지 확인한다.

⇨ " .... "

❸ 최 과장님이 다음 달에 부장으로 승진하신다고 한다. 동료에게 이 사실이 맞는지 확인한다.

⇨ " _____ "

❹ 한국에서는 시험 전에 미역국을 먹지 않는다는 것을 책에서 읽었다. 한국 친구에게 이 사실이 맞는지 확인한다.

⇨ " _____ "

❺ 한국에서는 빨간색으로 이름을 쓰지 않는다고 한다. 이 사실을 친구에게 확인한다.

⇨ " _____ "

❻ 중국에서는 남자가 녹색 모자를 쓰지 않는다고 한다. 이 사실을 친구에게 확인한다.

⇨ " _____ "

연습3 **보기** 와 같이 이야기해 보십시오.

> **보기** · 칼리드가 쌍둥이라면서요?
>
>   · 세종대왕께서 직접 한글을 만드셨다면서요?

메모

_____

_____

_____

_____

_____

_____

_____

준비 냉장고에 무엇이 있습니까?

설명

┤ 명사 뿐 ├

'뿐'은 명사에 붙어 오직 그것 하나임을 나타낼 때 사용한다.

- 정장이 한 벌뿐이야.
- 드실 만한 게 이거뿐이네요.
- 내 친구 중에서 한국 사람은 유미뿐이다.
- 내가 사랑하는 사람은 너뿐이다.
- 모하메드가 할 줄 아는 외국어는 한국어뿐이다.
- 지금 나에게 필요한 것은 휴식뿐이다.

연습1 **보기** 와 같이 문장을 바꾸어 쓰십시오.

> **보기** 우리 반에서 나타폰만 태국 사람이다.
>
> ⇨ **우리 반에서 태국 사람은 나타폰뿐이다.**

❶ 우리 부서에서 제시카만 출장을 간다.

⇨ _____

❷ 우리 집에서 나만 한국어를 배운다.

⇨ _____

❸ 내 가방에 책만 들어 있다.

⇨ _____

❹ 물에 사는 동물 중에서 고래만 새끼를 낳는다.

⇨ _____

연습2 **보기** 와 같이 이야기해 보십시오.

> **보기** 내가 사랑하는 사람은 **엄마뿐이다.**

❶ 내가 좋아하는 사람은 _____

❷ 내가 할 줄 아는 요리는 _____

❸ 내가 부를 수 있는 한국 노래는 _____

❹ _____

52 동사 기만 하다

준비 주말에 두 사람이 무엇을 했는지 이야기해 보십시오.

리사의 하루

아침   점심   저녁

빌리의 하루

낮   밤

설명

동사 기만 하다

'–기만 하다'는 동사에 붙어 다른 일이나 상황은 없고 그것만 있다는 것을 표현할 때 사용한다.

- 아기가 먹지도 않고 울기만 해요.
- 선생님께서 아무 말씀도 안 하시고 듣기만 하셨다.
- 제 동생은 매일 놀기만 하고 공부는 안 해서 걱정이에요.
- 이 휴대폰은 비싸기만 하고 성능이 안 좋다.

'–기만 하면 되다'의 형태로 써서 가장 중요한 한 가지 조건이나 상황, 마지막 남은 한 가지 일을 이야기할 때도 사용할 수 있다.

- 가: 보고서는 다 썼어요?
  나: 네. 이제 출력하기만 하면 돼요.
- 가: 저녁 준비는 다 했어요?
  나: 네, 이제 먹기만 하면 돼요.

연습1 문장을 완성하십시오.

듣다   쓰다   자다   보다

---

❶ 저는 스트레스를 받으면 먹지도 않고 ⋯⋯⋯⋯⋯⋯⋯⋯⋯⋯⋯⋯⋯⋯⋯⋯⋯

❷ 제 동생은 용돈을 받으면 모으지 않고 ⋯⋯⋯⋯⋯⋯⋯⋯⋯⋯⋯⋯⋯⋯⋯⋯⋯

❸ 친구들이 싸울 때 말리지 않고 ⋯⋯⋯⋯⋯⋯⋯⋯⋯⋯⋯⋯⋯⋯⋯⋯⋯⋯⋯⋯⋯⋯⋯

❹ 제 친구는 한국어를 잘 못해서 다른 사람이 이야기할 때 ⋯⋯⋯⋯⋯⋯⋯⋯⋯

연습2 다음 대화를 완성하십시오.

❶ 가: 빌리 씨, 숙제 다 했어요?

나: 네. ⋯⋯⋯⋯⋯⋯⋯⋯⋯⋯⋯⋯⋯⋯⋯⋯⋯⋯⋯⋯⋯⋯ (선생님께 내다)

❷ 가: 올가 생일 파티 준비는 다 했어요?

나: 네. ⋯⋯⋯⋯⋯⋯⋯⋯⋯⋯⋯⋯⋯⋯⋯⋯⋯⋯⋯⋯⋯⋯ (카드를 쓰다)

❸ 가: 취직 준비는 잘돼 가요?

나: 네. 필기 시험은 합격했으니까 이제 ⋯⋯⋯⋯⋯⋯⋯⋯⋯⋯⋯⋯⋯ (면접을 잘 보다)

❹ 가: 귀국 준비는 잘 하고 있어요?

나: 네. 비행기 표도 예약했고 ⋯⋯⋯⋯⋯⋯⋯⋯⋯⋯⋯⋯⋯⋯⋯⋯⋯⋯ (짐을 싸다)

연습 3 알맞은 것을 골라 대화를 완성하십시오.

❶ 가: 어떤 집으로 이사하고 싶어요?

　　나: _____

　　　 _____

　　　　　　 방이 넓다 / 월세가 싸다 / 학교에서 가깝다

❷ 가: 어떤 사람과 결혼하고 싶어요?

　　나: _____

　　　 _____

　　　　　　 성격이 잘 맞다 / 대화가 잘 통하다 / 능력이 있다

❸ 가: 직업을 선택할 때 가장 중요하게 생각하는 게 뭐예요?

　　나: _____

　　　 _____

　　　　　　 적성에 맞다 / 월급이 많다 / 근무 환경이 좋다

메모

53 명사 에다(가)

준비 여자는 소포를 어디에 놓을까요?

설명

┤ 명사 **에다(가)** ├

'에다(가)'는 명사에 붙어 어떤 행위의 도달점(reaching point, 到達點)을 나타낸다. 주로 '놓다, 두다, 넣다, 걸다, 쓰다, 적다' 등의 동작동사와 쓰이고 '가다, 오다, 있다' 등의 동사와는 쓰이지 않는다.

- 컵을 책상에다가 놓았어요.
- 우산을 문 옆에다가 두었다.
- 여기에다가 사인해 주세요.

또한 '에다(가)'는 명사에 붙어 다른 것이 더해짐을 나타내기도 한다.

- 점심에 비빔밥에다가 떡볶이도 먹었어요.
- 여권에다가 지갑까지 잃어버렸어요.
- 이번 달에는 월급에다 보너스도 받았다.

연습 1　다음 그림을 보고 문장을 완성하십시오.

❶ 기타를 ＿＿＿＿＿＿＿＿＿ 올려놓았어요.　❷ 가방을 ＿＿＿＿＿＿＿＿＿ 두었어요.

❸ 설탕을 ＿＿＿＿＿＿＿＿＿ 넣어요.　❹ 책을 ＿＿＿＿＿＿＿＿＿ 꽂아요.

연습 2　알맞은 것을 골라 문장을 완성하십시오.

| 걸다 | 주다 | 적다 | 쓰다 | 버리다 | 붙이다 |

❶ 봉투 ＿＿＿＿＿＿＿ 우표를 ＿＿＿＿＿＿＿＿＿＿＿＿＿

❷ 꽃 ＿＿＿＿＿＿＿ 물을 ＿＿＿＿＿＿＿＿＿＿＿＿＿

❸ 수첩 ＿＿＿＿＿＿＿ 연락처를 ＿＿＿＿＿＿＿＿＿＿＿

❹ 공책 ＿＿＿＿＿＿＿ 이름을 ＿＿＿＿＿＿＿＿＿＿＿

❺ 옷을 옷걸이 ＿＿＿＿＿＿＿＿＿＿＿＿＿＿＿＿＿＿

❻ 과자 봉지를 쓰레기통 ＿＿＿＿＿＿＿＿＿＿＿＿＿

연습3 **보기** 와 같이 대화를 완성하십시오.

> **보기**　가: 오늘 진짜 춥지요?
>
> 　　　나: 네. 너무 추워서 **내복에다가 스웨터에다가 코트까지 입었어요.**
>
> 　　　　（내복, 스웨터, 코트）

❶ 가: 동생이 영어를 잘하네요.

　　나: 네. ＿＿＿＿＿＿＿＿＿＿＿＿＿＿ 할 줄 알아요. （영어, 중국어）

❷ 가: 주말에 좀 쉬었어?

　　나: 아니, 못 쉬었어. ＿＿＿＿＿＿＿＿＿＿＿＿ 해야 했거든. （빨래, 청소）

❸ 가: 배고프지 않아? 우리 야식 먹을까?

　　나: 아니, 안 먹을래. 저녁에 ＿＿＿＿＿＿＿＿＿＿ 먹어서 배불러. （갈비, 냉면）

❹ 가: 민수 형이 이번에도 전국 일 등을 했대.

　　나: 나도 들었어. 그 형은 ＿＿＿＿＿＿＿＿＿＿ 잘하네. （공부, 노래, 운동）

메모

54 동사 (으)므로

준비 잘 듣고 이곳에서 할 수 없는 것과 그 이유를 이야기해 보십시오.

설명

┤ 동사 **(으)므로** ├

'-(으)므로'는 동사에 붙어 어떤 일의 이유나 근거를 나타낼 때 사용한다. 안내 방송, 발표, 뉴스, 보고서, 논문, 신문 등에서 주로 쓰인다.

• 교통 혼잡이 예상되므로 대중교통을 이용하시기 바랍니다.
• 이 놀이기구는 위험하지 않으므로 어린이도 탈 수 있습니다.
• 사고가 많이 발생하는 지역이므로 운전에 유의하시기 바랍니다.

연습1 두 문장을 연결하십시오.

❶ 공사 중이다/ 돌아가다

⇨ ....

❷ 여기는 직원 전용 구역이다/ 들어갈 수 없다

⇨ ....

❸ 이곳은 눈이 내려 위험하다/ 출입을 통제하고 있다

⇨ ....

❹ 이웃집에 피해를 줄 수 있다/ 늦은 시간에는 세탁기를 돌리지 말다

⇨ ....

연습2 **보기** 와 같이 안내 방송을 만들어 보십시오.

> **보기** 기내: 곧 이륙할 예정이므로 모든 전자 제품의 전원을 꺼 주시기 바랍니다.

❶ 공연장: ....

❷ 박물관: ....

❸ 지하철역: ....

❹ 미술관: ....

메모

준비 잘 듣고 여자가 무슨 말을 했는지 이야기해 보십시오.

설명

┤ 명사 더러/보고 ├

'더러/보고'는 명사에 붙어 행동이 미치는 대상을 표현할 때 사용한다. '에게, 한테'와 의미가 비슷하며 대화에서 다른 사람의 말을 인용할 때 사용한다.

- 부장님이 저더러 회의 준비를 해 놓으라고 하셨어요.
- 선생님께서 빌리보고 발음이 아주 좋다고 칭찬하셨어요.
- 우리더러 한국 사람이냐고 했어요.

연습1 보기 와 같이 문장을 바꾸어 쓰십시오.

보기 제시카: 칸 씨, 부산에서 맛있는 음식 많이 먹고 오세요.

⇨ 제시카가 <u>칸보고 부산에서 맛있는 음식을 많이 먹고 오라고 했어요.</u>

❶ 다니엘: 호세, 지난번에 도서관에서 빌린 책은 다 읽었어?

⇨ 다니엘이 _____

❷ 부장님: 제시카 씨, 이번 프로젝트 준비 잘하세요.

⇨ 부장님께서 _____

❸ 지훈: 빌리, 이번 추석에 우리 집에 같이 갈래요?

⇨ 지훈이 _____

❹ 올가: 나타폰, 오늘 점심 같이 먹어요.

⇨ 올가가 ....

연습 2 맞으면 ◯, 틀리면 ✕ 하십시오.

❶ 선생님께서 리사보고 숙제를 내라고 하셨어요.　　　　　(　　)

❷ 칸이 사장님더러 직접 보고를 했어요.　　　　　　　　(　　)

❸ 친한 친구더러 선물을 줬어요.　　　　　　　　　　　(　　)

❹ 칼리드보고 이사를 도와 달라고 했어요.　　　　　　　(　　)

❺ 부모님보고 안부 편지를 보냈어요.　　　　　　　　　(　　)

메모

56 명사 만 하다

준비 다음을 보고 두 사람의 얼굴 크기에 대해 이야기해 보십시오.

가

나

설명

┤ 명사 만 하다 ├

'만 하다'는 명사에 붙어 비교하는 대상의 크기나 정도가 명사와 비슷함을 나타낼 때 사용한다.

- 내 동생의 키가 나만 하다.
- 사과가 수박만 하다.

관용적으로 사용되는 경우가 많으며 '과장'의 느낌이 있다.

- 칼리드 집 거실이 운동장만 해요. → 아주 넓다.
- 제 방은 손바닥만 해요. → 아주 좁다.
- 너무 많이 먹어서 배가 남산만 해요. → 배가 많이 나왔다.
- 영화에서 갑자기 무서운 장면이 나와서 간이 콩알만 해졌어요. → 아주 많이 놀랐다.
- 월급이 쥐꼬리만 해서 아무것도 할 수 없어요. → 아주 적다.

연습1 **보기**와 같이 문장을 완성하십시오.

> **보기** 얼굴 크기와 수박 크기가 비슷하다.
>
>   ⇨ **얼굴이 수박만 하다.**

❶ 전자사전 크기가 휴대전화 크기와 비슷하다.

  ⇨ ....

❷ 방 넓이가 교실 넓이와 비슷하다.

  ⇨ ....

❸ 물고기가 사람 팔뚝 길이와 비슷하다.

  ⇨ ....

❹ 동생의 키가 나하고 비슷하다.

  ⇨ ....

연습2 알맞은 것을 연결하여 문장을 완성하십시오.

❶ 방 •   • 운동장

❷ 배 •   • 쥐꼬리

❸ 무대 •   • 손바닥

❹ 월급 •   • 콩알

❺ 간 •   • 남산

❶ 제 방이 손바닥만 해요.

❷ 밥을 많이 먹어서 배가 ....

❸ 콘서트 무대가 ....

❹ 일은 많은데 월급이 ....

❺ 깜짝 놀라서 간이 ....

준비 다음을 순서대로 이야기해 보십시오.

| 손을 씻다 | 밥을 먹다 | 커피를 마시다 | 양치질을 하다 |

설명

┤ 동작동사 **고 나서** ├

'-고 나서'는 동작동사에 붙어 '어떤 일이나 동작이 완전히 끝난 후에'의 뜻을 나타낼 때 사용한다.

• 시험을 보고 나서 틀린 문제를 확인한다.
• 설명을 듣고 나서 이해가 됐습니다.
• 어제 퇴근하고 나서 뭐 했어요?
• 발표를 모두 하고 나서 질문을 받겠습니다.

연습1 문장을 연결하십시오.

❶ 일을 다 하다/ 쉬다 ⇨ ....

❷ 졸업하다/ 일자리를 찾다 ⇨ ....

❸ 고백하다/ 마음이 편해지다 ⇨ ....

❹ 비가 오다/ 하늘이 맑아지다 ⇨ ....

❺ 한숨 자다/ 다시 생각해 보다 ⇨ ....

연습2 알맞은 것을 골라 문장을 완성하십시오.

이사하다	의논하다	확인하다
약을 먹다	화를 내다	비교해 보다

❶ _____ 몸이 괜찮아졌어요.

❷ _____ 후회했어요.

❸ _____ 몸살이 났어요.

❹ 일정을 _____ 연락 드리겠습니다.

❺ 가격을 _____ 사는 게 좋겠어요.

❻ 부모님과 _____ 결정할게요.

연습3 빌리의 하루 일과에 대해 이야기해 보십시오.

07:30	조깅	16:00	시험공부 (도서관)
08:00	아침 식사	19:00	저녁 식사
09:00	오전 수업	20:00	TV 시청
13:00	점심 식사	22:00	샤워
14:00	리사와 약속 (커피숍)	23:00	취침

준비 빌리는 어제 어떤 남자가 리사에게 꽃을 주는 것을 봤습니다. 빌리가
리사에게 무슨 말을 할까요?

설명

┤ 동사 **던데** ├

'-던데'는 동사에 붙어 말하는 사람이 보거나 들어서 알게 된 내용을 가지고 질문을
하거나 제안, 부탁 등을 할 때 사용한다.

- 어제 빵집에서 케이크를 사던데 친구 생일이었어요?
- 오빠가 멋있던데 여자 친구 있어요?
- 칼리드가 밥을 두 그릇이나 먹던데 배가 많이 고팠나 봐요.
- 성적이 많이 올랐던데 비결 좀 알려 주세요.
- 한국 사람들은 김치가 없으면 밥을 못 먹는다고 하던데 정말 그래요?

알맞은 것을 연결하여 문장을 완성하십시오.

❶ 한국인 친구가 많다　　　　　　좀 일찍 와

❷ 요즘 자주 지각하다　　　　　　어떻게 사귀었어요?

❸ 수업에 집중을 못 하다　　　　무슨 일 있어요?

❹ 회의 시간에 기침을 계속 하다　　같이 가 볼래?

❺ 커피숍이 새로 생기다　　　　　감기에 걸렸나 봐요

❶ 한국인 친구가 많던데 어떻게 사귀었어요?

❷

❸

❹

❺

보기 **와 같이 문장을 완성하십시오.**

보기　칼리드가 밤을 새워서 공부하는 것을 봤다.

⇨ "칼리드가 밤을 새워서 공부하던데 중요한 시험이 있나 봐요."

❶ 왕밍이 전화하면서 우는 것을 봤다.

⇨ "　　　　　　　　　　　　　　　　　　　　　　　　　"

❷ 빌리가 급하게 뛰어가는 것을 봤다.

⇨ "　　　　　　　　　　　　　　　　　　　　　　　　　"

❸ 제시카가 머리를 짧게 자른 것을 봤다.

⇨ "　　　　　　　　　　　　　　　　　　　　　　　　　"

❹ 나타폰이 정장을 입은 것을 봤다.

⇨ "　　　　　　　　　　　　　　　　　　　　　　　　　"

59 명사 (이)라도

리사: 유진아, 물 좀 줘.

유진: 물이 없는데.

....

설명

┤ 명사 (이)라도 ├

'(이)라도'는 명사에 붙어 그것이 가장 좋은 선택은 아니라는 것을 나타낼 때 사용한다.

- 가: 출출한데 라면이라도 먹을까?
  나: 그래. 좋아.
- 가: 요즘 시간이 없어서 고향에 거의 못 가고 있어요.
  나: 그럼 부모님께 연락이라도 자주 하세요.
- 가: 토요일 3시 표 있어요?
  나: 3시 표는 매진이고 6시 표밖에 없는데요.
  가: 그럼 6시 표라도 주세요.
- 가: 휴일에는 보통 집에 있어요.
  나: 그러지 말고 등산이라도 가는 게 어때요?

'에, 에서, 에게, 부터, 만' 등과 같은 조사와 함께 쓸 수 있다.

- 가: 해외여행을 가고 싶은데 휴가가 짧아요.
  나: 그럼 가까운 곳에라도 다녀와요.
- 환경을 위해 작은 것부터라도 실천해야 한다.

연습1 대화를 완성하십시오.

❶ 가: 컴퓨터를 오래 해서 어깨가 아프네.

　나: _____ 해 보는 게 어때? (맨손체조)

❷ 가: 여보, 늦게 들어와서 미안해요.

　나: 늦게 들어올 때는 _____ 해야죠. 걱정하잖아요. (전화)

❸ 가: 회사가 멀어서 출근하기 힘들지 않아요?

　나: 힘드네요. _____ 한 대 사야겠어요. (중고차)

❹ 가: 오늘은 아침도 못 먹고 나왔어요.

　나: 그럼 _____ 드세요. (빵)

❺ 가: 감기에 걸렸는데 병원에 갈 시간이 없어요.

　나: 그럼 참지 말고 _____ 먹어요. (약)

연습2 알맞은 것을 골라 대화를 완성하십시오.

에라도	에서라도	에게라도	부터라도

❶ 가: 내일 고향에 가는데 아직 선물을 못 샀어요.

　나: 공항 _____ 사면 되잖아요.

❷ 가: 갑자기 일이 생겨서 이번 모임에는 못 나갈 것 같습니다. 죄송합니다.

　나: 어쩔 수 없죠. 다음 모임 _____ 꼭 나오세요.

❸ 가: 보고서 쓰기가 힘들어서 김 대리에게 도와 달라고 했는데 바쁘대요.

　나: 그럼 최 대리 _____ 부탁해 보지 그래요?

❹ 가: 다음 주에 기말시험이 있는데 시험공부를 아직 시작도 못 했어.

　나: 지금 _____ 열심히 하면 되니까 너무 걱정 마.

대화를 완성하십시오.

❶ 가: 얼마 전에 여자 친구와 헤어졌는데 너무 힘드네요.

　나: 그럼 어디 여행이라도 좀 다녀오세요.

❷ 가: 추석에 고향에 가야 하는데 기차표가 다 매진이래요.

　나:

❸ 가: 친구들하고 같이 여행을 가려고 했는데 모두 바쁘다고 하네요.

　나:

❹ 가: 엄마가 집들이 준비하는 거 도와주기로 하셨는데 못 오신대요.

　나:

메모

60 동작동사 고 나면

준비 요즘 힘든 일이 많아 힘들어하는 호세에게 리사가 어떤 이야기를 해 주면 좋을까요?

설명

동작동사 고 나면

'-고 나면'은 동작동사에 붙어 '어떤 일이나 동작이 완전히 끝나면'의 뜻을 나타낼 때 사용한다.

- 푹 자고 나면 기분이 나아질 거예요.
- 그것은 시간이 지나고 나면 해결될 문제이다.
- 사람은 힘든 일을 겪고 나면 성숙해진다.
- 고기를 먹고 나면 밥을 볶아 드립니다.

알맞은 것을 연결하여 문장을 완성하십시오.

❶ 맛있는 음식을 먹다   •   • 마음이 편해지다

❷ 목욕을 하다   •   • 피로가 풀리다

❸ 청소를 하다   •   • 기분 전환이 되다

❹ 시험이 끝나다   •   • 방이 깨끗해지다

❶ 맛있는 음식을 먹고 나면 기분 전환이 될 거예요.

❷

❸

❹

연습2 다음을 이용하여 문장을 완성하십시오.

❶ 졸업하다

    ⇨

❷ 중급 1을 다 배우다

    ⇨

❸ 운동을 하다

    ⇨

❹ 화장을 하다

    ⇨

61 [동사] 는/(으)ㄴ 만큼, [명사] 만큼

[준비] 여러분은 부모님을 얼마나 사랑합니까?

[설명]

┤ [동사] 는/(으)ㄴ 만큼, [명사] 만큼 ├

'–는/(으)ㄴ 만큼'은 동사에 붙어 양이나 정도가 비슷함을 나타낸다. 명사에 붙어 비교를 나타내는 조사로도 사용한다.

- 사람은 누구나 주는 만큼 받기를 원한다.
- 내 동생은 얼굴이 예쁜 만큼 마음도 고와요.
- 열심히 하는 만큼 좋은 결과가 있을 거예요.
- 생일 케이크에 나이만큼 초를 꽂았다.

[연습1] **보기**와 같이 문장을 바꾸어 쓰십시오.

> **보기**　가: 책을 얼마나 읽었어요?
>
> 　　나: **리사가 읽는 만큼 읽었어요.** (리사가 읽다)
>
> 　　　　**리사만큼 읽었어요.** (리사)

❶ 가: 시험공부 열심히 했어요?

　나: .... (친구들이 하다)

　　 .... (친구들)

❷ 가: 월급은 얼마나 받고 싶어요?

　나: .... (다른 사람이 받다)

　　 .... (다른 사람)

❸ 가: 여행을 자주 해요?

　　나: _____ (남들이 하다)

　　　　_____ (남들)

연습 2 **보기**와 같이 문장을 완성하십시오.

> **보기** 일주일 운동해서 0.5kg이 빠졌다.
>
> 이 주일 운동해서 1kg이 빠졌다.
>
> ⇨ <u>운동한 만큼 살이 빠졌다.</u>

❶ 매일 4시간 공부해서 5점이 올랐다.

매일 8시간 공부해서 10점이 올랐다.

⇨ _____

❷ 하루 일해서 3만 원 벌었다.

사흘 일해서 9만 원 벌었다.

⇨ _____

❸ 지난달에 휴대 전화를 얼마 안 사용해서 요금이 적게 나왔다.

이번 달에 휴대 전화를 많이 사용해서 요금이 꽤 나왔다.

⇨ _____

❹ 전에는 춤 연습을 조금 해서 실력이 별로 늘지 않았다.

요즘 춤 연습을 많이 해서 실력이 크게 늘었다.

⇨ _____

62 피동

준비 두 그림에 대해서 이야기해 보십시오.

설명

피동

피동(passive verb, 被動)은 주어가 자신의 의지가 아닌 다른 것에 의해 움직이는 것을 의미한다.

- 갑자기 전화가 끊겨서 다시 걸었다.
- 동해에서는 가을에 게가 많이 잡힌다.
- 이상한 소리가 들려서 나갔는데 아무도 없었다.
- 꿈이 이루어진다면 얼마나 좋을까?

유형		피동사
단형 피동	–이–	보이다, 놓이다, 쌓이다, 쓰이다, …
	–히–	닫히다, 잡히다, 뽑히다, 막히다, 먹히다, …
	–리–	열리다, 들리다, 밀리다, 팔리다, 떨리다, 풀리다, 걸리다, …
	–기–	끊기다, 쫓기다, 안기다, 찢기다, 빼앗기다, …
장형 피동	–아/어지다	켜지다, 꺼지다, 써지다, 깨지다, 이루어지다, …

연습1 **보기**와 같이 문장을 완성하십시오.

> **보기** 바다가 **보인다.** (보다)

❶ 문이 .... (닫다)

❷ 창문이 .... (열다)

❸ 먼지가 .... (쌓다)

❹ 스트레스가 .... (풀다)

❺ 아기가 .... (안다)

❻ 운동화가 .... (팔다)

❼ 물고기가 .... (잡다)

❽ 지하철이 .... (끊다)

❾ 길이 .... (막다)

❿ 노랫소리가 .... (듣다)

연습2 알맞은 것을 골라 문장을 완성하십시오.

보이다	놓이다	쌓이다	닫히다	막히다
들리다	열리다	떨리다	풀리다	팔리다
걸리다	끊기다	잡히다	안기다	쫓기다

❶ 밖이 시끄러워서 선생님의 말소리가 안 .... (아요/어요).

❷ 벽에 .... ((으)ㄴ) 그림이 마음에 들어요.

❸ 음주운전을 하다가 경찰에게 .... (았어요/었어요).

❹ 매년 10월에 부산에서 국제영화제가 .... (는/ㄴ다).

❺ 휴대폰 요금을 안 내서 전화가 .... (았어요/었어요).

❻ 갑자기 문이 '쾅' 하고 .... (아서/어서) 깜짝 놀랐어요.

❼ 아기가 엄마에게 .... (아서/어서) 우유를 먹고 있어요.

❽ 잘 안 ＿＿＿＿＿＿＿＿＿＿ ((으)니까) 더 크게 써 주세요.

❾ 호랑이에게 ＿＿＿＿＿＿＿＿＿＿ (는) 꿈을 꾸고 나서 잠을 못 잤어요.

❿ ＿＿＿＿＿＿＿＿＿＿ ((으)ㄴ) 눈이 녹지 않아서 길이 미끄럽다.

⓫ 운동화 끈을 세게 묶어서 잘 안 ＿＿＿＿＿＿＿＿＿＿ (아요/어요).

⓬ 진열대 제일 앞에 ＿＿＿＿＿＿＿＿＿＿ ((으)ㄴ) 물건이 가장 인기가 많아요.

⓭ 저는 긴장하면 목소리가 ＿＿＿＿＿＿＿＿＿＿ (아요/어요).

⓮ 감기에 걸려서 코가 ＿＿＿＿＿＿＿＿＿＿ (았어요/었어요).

⓯ 계절에 따라 잘 ＿＿＿＿＿＿＿＿＿＿ (는) 상품이 다르다.

연습 3 **알맞은 것을 골라 문장을 완성하십시오.**

꺼지다	켜지다	깨지다	써지다	풀어지다	이루어지다

❶ 불이 ＿＿＿＿＿＿＿＿＿＿ (아서/어서) 아무것도 안 보여요.

❷ 창문이 ＿＿＿＿＿＿＿＿＿＿ (아서/어서) 바람이 들어오네요.

❸ 이 볼펜은 글씨가 예쁘게 ＿＿＿＿＿＿＿＿＿＿ (아요/어요).

❹ 넥타이가 잘 안 ＿＿＿＿＿＿＿＿＿＿ (아요/어요).

❺ 제 휴대폰이 안 ＿＿＿＿＿＿＿＿＿＿ (아서/어서) 전화를 걸 수 없어요.

❻ 제 꿈이 꼭 ＿＿＿＿＿＿＿＿＿＿ ((으)면) 좋겠어요.

준비 남자가 왜 자리를 양보했는지 다음 그림을 보고 이야기해 보십시오.

설명

┤ 동사 **길래** ├

  '-길래'는 동사에 붙어 화자가 보거나 들은 것을 가지고 자신이 한 행동에 대한 이유를 말할 때 사용한다.

- 가: 어제 도서관에서 공부했어?
  나: 아니. 도서관에 사람이 많길래 커피숍에서 공부했어.
- 가: 어제 왜 회식에 안 왔어요?
  나: 머리가 아프길래 집에 가서 쉬었어요.
- 가: 왜 이렇게 옷을 많이 입었어요?
  나: 날씨가 춥다고 하길래 따뜻하게 입고 왔어요.
- 가: 왜 밤에 라면을 먹었어?
  나: 친구가 먹자고 하길래 같이 먹었어.

  '-았길래/었길래'는 완료된 동작을 봤을 때 사용한다.

- 친구가 벌써 밥을 먹었길래 혼자 먹었어요.
- 친구가 책을 다 읽었길래 빌려 달라고 했다.

연습1 알맞은 것을 연결하여 문장을 완성하십시오.

❶ 친구가 늦다   •   • 세탁했어요

❷ 동생이 아프다 •   • 병원에 데리고 갔어요

❸ 지하철이 안 오다 •   • 전화를 했어요

❹ 운동화가 더럽다 •   • 택시를 타고 왔어요

❺ 음식이 많이 남다 •   • 냉동실에 넣어 뒀어요

❶ 친구가 늦길래 전화를 했어요.

❷ _____

❸ _____

❹ _____

❺ _____

연습2 다음 대화를 완성하십시오.

❶ 가: 여행 가서 사진 많이 찍었네요.

　　나: _____ 많이 찍었어요. (경치가 멋지다)

❷ 가: 인삼을 많이 샀네요.

　　나: _____ 많이 샀어요. (한국 인삼이 유명하다고 하다)

❸ 가: 이사한 지 얼마 안 됐는데 또 이사했어?

　　나: 응. _____ 이사했어. (주변 환경이 안 좋다)

❹ 가: 이 시간에 사무실에 왜 전화했어요?

　　나: _____ 전화했어요. (교실 문이 잠겼다)

❺ 가: 드라이브하고 왔어?

　　나: _____ 같이 갔다 왔어. (친구가 우울하다고 하다)

연습3 맞으면 ◯, 틀리면 ✕ 하십시오.

❶ 머리가 아프길래 빌리가 못 왔어요. ( )

❷ 바지가 크길래 교환했어요. ( )

❸ 성격이 좋길래 인기가 많아요. ( )

❹ 버스가 늦게 오길래 지각했어요. ( )

❺ 볼펜이 싸길래 여러 개 샀어요. ( )

❻ 눈이 와서 길이 미끄럽길래 넘어졌어요. ( )

❼ 어제 잠을 못 잤길래 피곤했어요. ( )

❽ 파마머리가 유행이라고 하길래 파마를 했어요. ( )

연습4 보기와 같이 대화를 만들어 보십시오.

> 보기 가: 주말에 소개팅했다면서?
>
> 나: 응. 호세가 좋은 친구를 소개해 준다고 하길래 만났어.

❶ 가: 어제 병원에 갔다면서?

　 나: _____

❷ 가: 휴대폰을 새로 샀다면서?

　 나: _____

❸ 가: 요리 학원에 등록했다면서?

　 나: _____

❹ 가: 방학 때 유럽 여행을 했다면서?

　 나: _____

❺ 가: 나타폰에게 노트북을 빌려줬다면서?

　 나: _____

64 상태동사 (으)ㄴ, 상태동사 게

준비 이 아이에 대해 이야기해 보십시오.

설명

┤상태동사 (으)ㄴ, 상태동사 게├

　'-(으)ㄴ'은 상태동사에 붙어 '-(으)ㄴ' 뒤에 오는 명사를 수식하며 문장에서 관형어로 쓰인다. '-게'는 상태동사에 붙어 '-게' 뒤에 오는 동작동사를 수식하며 문장에서 부사어로 쓰인다.

연습1 맞으면 ◯, 틀리면 ✗ 하십시오.

❶ 와, 정말 작게 라디오네요. 　　　　　　　　　　　　　　　(　　)

❷ 신선한 채소를 많이 드세요. 　　　　　　　　　　　　　　　(　　)

❸ 청소를 정말 깨끗한 했네요. 　　　　　　　　　　　　　　　(　　)

❹ 거북이는 걸음이 느리게 동물이다. 　　　　　　　　　　　　(　　)

❺ 인간관계를 잘 유지하는 것은 쉽지 않은 일이다. 　　　　　　(　　)

❻ 며칠 동안 정말 힘들게 보고서를 작성했다. 　　　　　　　　　(　　)

❼ 그 영화는 재미있게 잘 만든 영화라고 생각한다. 　　　　　　(　　)

연습2 문장을 완성하십시오.

❶ 추천해 준 영화 정말 _____ 봤어요. (재미있다)

❷ 오래 사용하려면 _____ 가방이 필요해요. (튼튼하다)

❸ 칸은 음식을 정말 _____ 만드는 것 같아요. (맛있다)

❹ 글씨를 너무 _____ 써서 보이지 않습니다. (작다)

❺ 그녀는 곱고 _____ 손을 가졌다. (아름답다)

❻ 저녁은 좀 _____ 먹는 것이 좋다. (적다)

❼ 딸아이가 자기 방을 _____ 꾸며 놓았다. (예쁘다)

❽ 3층부터 시작된 불은 시간이 지나며 _____ 불이 되었다. (크다)

❾ 동생은 작고 _____ 인형 모으는 것을 좋아해요. (귀엽다)

메모

65 동사 고, 동사 (으)며

준비 다음 문장을 읽고 어떻게 다른지 이야기해 보십시오.

가 오늘은 <u>회의를 하고</u> 식사를 했다.

나 오늘은 <u>회의를 하며</u> 식사를 했다.

설명

┤ 동사 고, 동사 (으)며 ├

'-고'와 '-(으)며'는 동사에 붙어 어떤 일이나 동작, 상태를 나열할 때 사용한다. '-(으)며'는 나열되는 일이나 동작이 동시에 일어남을 의미하지만 '-고'는 단지 앞뒤의 일, 동작의 순서만을 의미한다. 상태동사와 함께 쓰일 때는 '-고', '-(으)며'에 큰 차이가 없다. '-(으)며'는 문어적인 표현으로 '-(으)며'는 '-(으)면서'와 바꾸어 쓸 수 있다.

연습 1 다음을 이용하여 이야기해 보십시오.

걷다	듣다	들다	먹다	메다
출근하다	눈을 감다	TV를 보다	헤드폰을 끼다	

❶

❷

❸

연습2 의미가 같은 문장을 고르십시오.

❶ 아버지는 식사하실 때 항상 신문을 보신다.

   ① 아버지는 식사하시고 신문을 보신다.

   ② 아버지는 식사하시며 신문을 보신다.

❷ 동생은 공부할 때 음악을 듣는다.

   ① 동생은 공부하고 음악을 듣는다.

   ② 동생은 음악을 들으며 공부한다.

❸ 빌리는 책을 읽을 때 노래를 흥얼거린다.

   ① 빌리는 책을 읽고 노래를 흥얼거린다.

   ② 빌리는 노래를 흥얼거리며 책을 읽는다.

❹ 칸은 출근할 때 항상 버스를 탄다.

   ① 칸은 버스를 타고 출근한다.

   ② 칸은 버스를 타며 출근한다.

메모

66 [동작동사] 아서/어서, [동작동사] 고 나서

준비 **다음 문장을 읽고 어떻게 다른지 이야기해 보십시오.**

[가] 고기와 채소를 <u>사서</u> 음식을 만들어요.

[나] 고기와 채소를 <u>사고 나서</u> 음식을 만들어요.

설명

┤ [동작동사] **아서/어서,** [동작동사] **고 나서** ├

'-아서/어서'와 '-고 나서'는 동작동사에 붙어 어떤 일이나 동작이 시간의 순서에 따라 일어남을 나타낼 때 사용한다.

'-아서/어서'는 앞과 뒤의 동작이 밀접한 관계를 가질 때 쓰이며 앞의 동작이나 상황이 유지되는 중에 뒤의 일이 일어날 때 사용한다. '-고 나서'는 앞과 뒤의 동작이 크게 관련 없이 일어나며 앞의 동작이 완전히 끝난 다음에 다른 동작을 하거나 어떤 상황이 일어났음을 나타낼 때 사용한다.

연습1 **맞는 것을 고르십시오.**

❶ 극장에 (가서, 가고 나서) 영화를 봅니다.

❷ 리사는 매일 아침 일곱 시에 (일어나서, 일어나고 나서) 조깅을 한다.

❸ 준비 운동을 (해서, 하고 나서) 수영장에 들어가세요.

❹ 승객이 모두 (내려서, 내리고 나서) 열차에 타십시오.

❺ 불이 (꺼져서, 꺼지고 나서) 공연이 시작되었습니다.

❻ 오랜만에 동창들을 (만나서, 만나고 나서) 수다를 떨었다.

연습2 맞으면 ◯, 틀리면 ✕ 하십시오.

❶ 인형을 만들어서 친구에게 선물할 겁니다. ( )

❷ 교수님의 강연이 끝나서 질문하십시오. ( )

❸ 집에 오고 나서 텔레비전을 봤어요. ( )

❹ 친구들이 돈을 모아서 어려운 이웃에게 기부했습니다. ( )

❺ 남은 일을 다 끝내서 만납시다. ( )

❻ 비가 그치고 나서 무지개가 생겼어요. ( )

❼ 제가 나가고 나서 무슨 일이 있었어요? ( )

메모

67 명사 처럼, 명사 만큼

준비 다음 문장을 읽고 어떻게 다른지 이야기해 보십시오.

가 리사는 <u>선생님처럼</u> 말을 빨리 해요.

나 리사는 <u>선생님만큼</u> 말을 많이 해요.

설명

┤ 명사 처럼, 명사 만큼 ├

  '처럼'과 '만큼'은 명사에 붙어 비유나 비교의 대상을 나타낸다. '처럼'은 모양이나 행동을 비교할 때 '만큼'은 수나 양을 비교할 때 주로 사용한다.

연습1 알맞은 말을 골라 ○ 하십시오.

❶ 돈을 얼마(처럼, 만큼) 벌고 싶어요?

❷ 하늘(처럼, 만큼) 땅(처럼, 만큼) 너를 사랑해.

❸ 제 친구는 곰인형(처럼, 만큼) 생겼어요.

❹ 그 영화를 보고 호세는 아이(처럼, 만큼) 엉엉 울었어요.

❺ 저는 젊은 시절에 바보(처럼, 만큼) 일만 열심히 했어요.

❻ 생일 선물로 나이(처럼, 만큼) 장미꽃을 받았어요.

❼ 비빔밥은 젓가락으로 비비면 더 맛있어요. 저(처럼, 만큼) 비벼 보세요.

❽ 어린 아이가 어른(처럼, 만큼) 의젓하게 말해요.

68 명사만, 명사뿐

다음 문장을 읽고 어떻게 다른지 이야기해 보십시오.

가 나타폰은 커피만 마셔요.

나 나타폰이 마시는 것은 커피뿐이에요.

설명

┌─ 명사만, 명사뿐 ─┐

'만'과 '뿐'은 명사에 붙어 오직 그 명사 하나를 나타낸다. '만'과 '뿐'은 큰 의미 차이 없이 사용할 수 있지만 '뿐'은 주로 '이다'와 결합하여 사용된다.

연습1 맞는 것을 고르십시오.

❶ 빌리는 쉬는 시간에도 책(만, 뿐) 읽는다.

❷ 교실에서 사용할 수 있는 말은 한국어(만, 뿐)이다.

❸ 하루 종일 컴퓨터(만, 뿐) 쳐다보고 있어서 눈이 아프다.

❹ 지금 내가 하고 싶은 것은 마음 편히 쉬는 것(만, 뿐)이다.

❺ 홍보부에서는 김 대리(만, 뿐) 회의에 참석했다.

❻ 선생님께 연락은 이메일로(만, 뿐) 할 수 있다.

❼ 내가 받고 싶은 것은 친구의 마음(만, 뿐)이지만 친구는 그걸 잘 모른다.

69 동사 네(요), 동사 더라

준비 다음 문장을 읽고 어떻게 다른지 이야기해 보십시오.

가 제시카가 노래를 정말 잘 <u>부르네</u>.

나 제시카가 노래를 정말 잘 <u>부르더라</u>.

설명

┤ 동사 네(요), 동사 더라 ├

'-네(요)'와 '-더라'는 동사에 붙어 말하는 사람이 직접 경험하여 알게 된 사실에 대해
이야기할 때 사용한다. '-네(요)'는 현재의 경험을, '-더라'는 과거의 경험을 의미한다.

연습1 맞으면 ○, 틀리면 ✕ 하십시오.

❶ 아까 보니까 학교에서 영화 촬영을 하고 있네.　　　　　　(　　)

❷ 주말에 춘천에 갔다 왔는데 참 조용한 도시더라.　　　　　(　　)

❸ 한국에 와서 한국어를 배우니까 정말 재미있네.　　　　　(　　)

❹ 저기 좀 봐. 빌리와 리사가 커피숍에 같이 있더라.　　　　(　　)

❺ 지금 보니 수첩에 영화표가 있네.　　　　　　　　　　　(　　)

❻ 어제 부산에 갔는데 해운대 바다를 실제로 보니 아름답더라.　(　　)

❼ 아까 빌리를 만났는데 감기에 심하게 걸렸네.　　　　　　(　　)

70 상태동사 아지다/어지다, 동작동사 게 되다

준비 가을에서 겨울이 되면 어떤 변화가 있습니까?

가을

겨울

설명

┤ 상태동사 **아지다/어지다,** 동작동사 **게 되다** ├

'-아지다/어지다'는 상태동사에 붙어 사람이나 사물의 상태 변화를, '-게 되다'는 동작 동사에 붙어 동작이나 상황의 변화를 나타낸다.

- 예전보다 봄에 꽃이 피는 시기가 빨라졌다. (○)
  예전보다 봄에 꽃이 피는 시기가 빠르게 되었다. (×)
- 스마트폰을 사용한 후에는 책을 덜 읽게 되었다. (○)
  스마트폰을 사용한 후에는 책을 덜 읽어졌다. (×)

연습1 맞는 것을 고르십시오.

❶ 좋아하는 일을 시작한 후 전보다 훨씬 잘 (웃어지는, 웃게 되는) 것 같아요.

❷ 봄이 되니 날씨가 (따뜻해져서, 따뜻하게 돼서) 밖에서 활동하는 사람이 많다.

❸ 결혼 후의 가장 큰 변화는 예전보다 집에서 밥을 자주 (먹어진, 먹게 된) 것이다.

❹ 고향에 있을 때는 라디오를 안 들었지만 한국에 와서 라디오를 (들어졌어요, 듣게 됐어요).

❺ 요즘 사과가 (좋아져서, 좋게 돼서) 자주 (먹어졌어요, 먹게 됐어요).

연습2 빈칸을 채우십시오.

❶ 여자 친구가 생긴 호세는 표정이 전보다 훨씬 _____ (밝다)

❷ 한국에서 유학 생활을 하면서 엄마와 전화를 더 자주 _____ (하다)

❸ 친구가 갑자기 일이 생겨서 내가 대신 영화를 _____ (보다)

❹ 휴대폰을 자주 바꾸는 사람들이 전보다 _____ (많다)

❺ 요즘에는 손으로 편지를 쓰는 사람을 보기가 _____ (힘들다)

메모

준비 다음 문장을 읽고 어떻게 다른지 이야기해 보십시오.

가 여름은 <u>덥지만</u> 겨울은 춥다.

나 여름은 <u>덥기는 하지만</u> 휴가가 있어서 좋다.

설명

┤ 동사 지만, 동사 기는 하지만 ├

'-지만'과 '-기는 하지만'은 동사에 붙어 앞의 내용과 뒤의 내용이 서로 대조적임을 말할 때 사용한다. '-지만'은 둘 이상의 사물이나 사람의 차이를 말할 때, '-기는 하지만'은 하나의 사물이나 사람에 대해 서로 다른 의견을 말할 때 사용한다.

연습1 맞으면 ◯, 틀리면 ✕ 하십시오.

❶ 김치는 맵기는 하지만 맛있다.   (   )

❷ 옷이 마음에 들기는 하지만 값이 비싸네요.   (   )

❸ 어머니는 키가 크기는 하지만 저는 작아요.   (   )

❹ 빌리는 커피를 좋아하지만 리사는 아니에요.   (   )

❺ 사과는 달지만 레몬은 시어요.   (   )

❻ 배가 아프기는 하지만 출근은 할 수 있어요.   (   )

❼ 시험을 보기는 했지만 점수가 좋지 않아요.   (   )

❽ 내일 비가 오겠기는 하지만 많이 오지는 않을 거예요.   (   )

72 [동작동사] 자마자, [동작동사] 는 대로

준비 다음 문장을 읽고 어떻게 다른지 이야기해 보십시오.

가 집에 <u>가자마자</u> 메일을 보냈어요.

나 집에 <u>가는 대로</u> 메일을 보낼 거예요.

설명

> ┤ [동작동사] **자마자**, [동작동사] **는 대로** ├
>
> '–자마자'와 '–는 대로'는 동작동사에 붙어 어떤 일이나 동작이 일어나고 곧 이어 다음 일이 일어날 때 사용한다. '–자마자'는 앞의 일이 완료되고 바로 이어 다음 일이 일어날 때, '–는 대로'는 앞의 일이 지속되는 상황에서 다음 일이 일어날 때 사용한다. '–자마자' 는 과거, 현재, 미래 표현에서 두루 사용할 수 있지만 '–는 대로'는 과거의 상황에서는 사용할 수 없다.
>
> - 밖에 나가자마자 비가 내리기 시작했다. (○)
> - 밖에 나가는 대로 비가 내리기 시작했다. (×)

연습 1 맞으면 ◯, 틀리면 ✕ 하십시오.

❶ 밥을 먹자마자 이를 닦았어요.   (   )

❷ 건강이 좋아지는 대로 출근하겠습니다.   (   )

❸ 친구를 만났는데 시간이 없어서 만나는 대로 헤어졌어요. (   )

❹ 월급을 받자마자 부모님 선물을 살 거예요.   (   )

❺ 집에 도착하는 대로 비가 왔어요.   (   )

❻ 버스를 타는 대로 고장이 나서 내려야 했어요.   (   )

❼ 수업이 끝나는 대로 모두 나갔어요.   (   )

❽ 처음 보자마자 사랑에 빠졌어요. ( )

❾ 그 이야기를 듣는 대로 화를 냈어요. ( )

❿ 집에 돌아오는 대로 손부터 씻었어요. ( )

⓫ 내일 이 책을 다 읽는 대로 반납할 거예요. ( )

⓬ 친구들을 만나자마자 그 소식을 전하겠습니다. ( )

메 모

73 동사 거든(요), 동사 잖아(요)

준비 다음 문장을 읽고 어떻게 다른지 이야기해 보십시오.

가: 웬 케이크야?

나: **가** 오늘 칸 씨 생일이거든.

나 오늘 칸 씨 생일이잖아.

설명

┌─ 동사 **거든(요)**, 동사 **잖아(요)** ─┐

'-거든(요)'는 동사에 붙어 말하는 사람이 듣는 사람은 잘 모르거나 모른다고 생각하는 것에 대해 말할 때 사용한다. 반면 '-잖아(요)'는 동사에 붙어 말하는 사람이 듣는 사람도 잘 알거나 알고 있을 거라고 생각하는 것에 대해 말할 때 사용한다.

'-거든(요)'와 '-잖아(요)'는 비교적 가까운 관계에서 사용하는 것이 좋으며 윗사람에게 사용하는 것은 주의해야 한다.

연습1 잘 듣고 가장 알맞은 대답을 고르십시오.

❶ ① 눈이 내리거든.

② 눈이 내리잖아.

❷ ① 바쁜 일이 있거든.

② 바쁜 일이 있잖아.

❸ ① 날씨가 건조하거든.

② 날씨가 건조하잖아.

❹ ① 소개팅이 있어서 어제 새로 샀거든.

② 소개팅이 있어서 어제 새로 샀잖아.

❺ ① 미안해요. 제 지우개가 아니거든요.

② 미안해요. 제 지우개가 아니잖아요.

74 명사 **(이)나,** 명사 **밖에 (없다)**

준비 다음 대화에서 밑줄 친 부분의 의미를 비교해 보십시오.

> 칼리드: 한국 친구가 많아요?
>
> 빌　리: 네. 10명쯤 있어요.
>
> 칼리드: 10명이나 있어요? 저는 2명밖에 없는데.

설명

┌─ 명사 **(이)나,** 명사 **밖에 (없다)** ─┐

　'(이)나'와 '밖에'는 수량을 나타내는 명사에 붙어 수와 양이 많고 적음을 나타낼 때 사용한다. '(이)나'는 수와 양이 많음을 의미하고, '밖에'는 수와 양이 적음을 의미한다. '밖에'는 뒤에 부정 표현이 와야 한다.

연습1 맞는 것을 고르십시오.

❶ 마라톤 선수가 자신의 기록을 (5분이나, 5분밖에) 단축했다.

❷ 우리 아파트에 차가 없는 집은 (두 집이나, 두 집밖에) 없다.

❸ 한류의 영향으로 한국어를 배우려고 하는 학생이 (30%나, 30%밖에) 늘었다.

❹ 1970년대에는 4.5명이던 출산율이 올해는 (1.2명이나, 1.2명밖에) 안 된다.

연습 2   대화를 완성하십시오.

❶ 가: 눈이 충혈됐네요. 어제 잠을 못 잤어요?

　　나: 네. _____ 못 잤어요.

❷ 가: 집에서 애완동물을 키워요?

　　나: 네. 엄마가 고양이를 좋아하셔서 네 마리 키워요.

　　가: 집에 _____ 있어요?

❸ 가: 집에서 회사까지 얼마나 걸려요?

　　나: 40분쯤 걸려요. 좀 멀지요?

　　가: _____ 안 걸려요? 저는 두 시간 걸리는데.

❹ 가: 여보, 콘서트 표 샀어?

　　나: 아니, 못 샀어. 남은 표가 _____ 없었어.

　　가: 그래? 그 콘서트 꼭 보고 싶었는데 아쉽다!

메모

동사 는데/(으)ㄴ데, 동사 던데

준비 다음 문장을 읽고 어떻게 답할지 이야기해 보십시오.

가 바빠서 점심을 못 먹었는데 먹을 것 좀 있어?

나 아까 보니까 점심을 안 먹던데 이것 좀 먹을래?

설명

┤ 동사 는데/(으)ㄴ데, 동사 던데 ├

　　'-는데/(으)ㄴ데'와 '-던데'는 동사에 붙어 뒷말의 배경이나 이유를 말할 때 사용한다. '-는데/(으)ㄴ데'는 사용 범위가 넓은 반면 '-던데'는 주로 2, 3인칭에서 사용하며 말하는 사람이 보거나 들어서 알게 된 내용을 가지고 질문을 하거나 제안, 부탁 등을 할 때 사용한다.

연습1 맞는 것을 고르십시오.

❶ 오랜만에 도서관에 (갔는데, 가던데) 사람이 많았어요.

❷ 주말에 한국 영화를 (봤는데, 보던데) 영화가 재미있었어요.

❸ 아까 보니까 꽃을 (샀는데, 사던데) 무슨 날이에요?

❹ 학생들이 교실 청소를 열심히 (했는데, 하던데) 교실이 많이 지저분했나 봐요.

❺ 한국 음식을 처음 (먹었는데, 먹던데) 아주 맛있었어요.

❻ 오늘 아침에 서점에서 책을 (읽었는데, 읽던데) 무슨 책을 읽었어요?

❼ 제가 꼭 보고 싶은 영화가 (있는데, 있던데) 같이 볼까요?

❽ 지금 (회의 중인데, 회의 중이던데) 밖이 너무 시끄러워요.

76 이유 표현 종합 연습

준비 이 사람이 왜 지각을 했는지 잘 듣고 빈칸을 채우십시오.

이 사람은 ⎽⎽⎽⎽⎽⎽⎽⎽⎽⎽⎽⎽⎽⎽⎽⎽ 지각을 했습니다.

연습1 맞는 것을 고르십시오.

❶ 오늘 좀 (바빠서, 바쁘니까) 다음에 만날래요?

❷ 아이들이 많이 (자라서, 자라니까) 입던 옷을 버렸어요.

❸ 이 길은 항상 차가 (밀려서, 밀리니까) 돌아가자.

❹ 여행 가서 (날씨이기 때문에, 날씨 때문에) 얼마나 고생을 했는지 몰라요.

연습2 대화를 완성하십시오.

❶ 가: 어제 왜 잠을 못 잤어요?

　나: ⎽⎽⎽⎽⎽⎽⎽⎽⎽⎽⎽⎽⎽⎽⎽⎽⎽⎽⎽⎽⎽⎽⎽⎽⎽⎽⎽⎽

❷ 가: 왜 이렇게 늦게 왔어요?

　나: ⎽⎽⎽⎽⎽⎽⎽⎽⎽⎽⎽⎽⎽⎽⎽⎽⎽⎽⎽⎽⎽⎽⎽⎽⎽⎽⎽⎽

❸ 가: 왜 조금밖에 안 드세요?

　나: ⎽⎽⎽⎽⎽⎽⎽⎽⎽⎽⎽⎽⎽⎽⎽⎽⎽⎽⎽⎽⎽⎽⎽⎽⎽⎽⎽⎽

❹ 가: 감기에 걸렸나 봐요.

　나: ⎽⎽⎽⎽⎽⎽⎽⎽⎽⎽⎽⎽⎽⎽⎽⎽⎽⎽⎽⎽⎽⎽⎽⎽⎽⎽⎽⎽

연습3 문장을 완성하십시오.

❶ 갑자기 비가 오는 바람에　① ....
　　　　　　　　　　　　　② ....

❷ 날씨가 너무 추워 가지고　① ....
　　　　　　　　　　　　　② ....

❸ 왠지 좀 우울하길래　① ....
　　　　　　　　　　② ....

❹ 친구가 늦길래　① ....
　　　　　　　　② ....

❺ ① .... 기분이 별로예요.
　② ....

❻ ① .... 여행 일정을 변경했다.
　② ....

❼ ① .... 주의하십시오.
　② ....

❽ ① .... 돌아가 주시기 바랍니다.
　② ....

연습4 맞으면 〇, 틀리면 ✕ 하십시오.

❶ 갑자기 컴퓨터가 다운된 바람에 자료가 다 날아갔다.　　（　　　）

❷ 배가 고프길래 라면을 끓여 먹자.　　（　　　）

❸ 열쇠를 잃어버린 바람에 집에 못 들어갔다.　　（　　　）

❹ 금연 구역이므로 담배를 피울 수 없습니다.　　（　　　）

❺ 시간이 없는 바람에 숙제를 다 못했어요.　　（　　　）

❻ 늦게 일어나므로 지각했어요.　　（　　　）

❼ 쇼핑을 하길래 돈을 많이 썼어요.　　（　　　）

부록

모범 답안

01 반말 종합 연습

준비

❶ ①

❷ ②

연습 1

	-(는/ㄴ)다	-았다/었다	-(으)ㄹ 것이다
먹다	먹는다	먹었다	먹을 것이다
가다	간다	갔다	갈 것이다
좋다	좋다	좋았다	좋을 것이다
예쁘다	예쁘다	예뻤다	예쁠 것이다
학생	학생이다	학생이었다	학생일 것이다
의사	의사이다	의사였다	의사일 것이다
먹지 않다	먹지 않는다	먹지 않았다	먹지 않을 것이다
가지 않다	가지 않는다	가지 않았다	가지 않을 것이다
좋지 않다	좋지 않다	좋지 않았다	좋지 않을 것이다
예쁘지 않다	예쁘지 않다	예쁘지 않았다	예쁘지 않을 것이다
학생이 아니다	학생이 아니다	학생이 아니었다	학생이 아닐 것이다
의사가 아니다	의사가 아니다	의사가 아니었다	의사가 아닐 것이다

연습 2

❶ ×
❷ ○
❸ ○
❹ ×
❺ ×
❻ ○
❼ ×
❽ ○
❾ ×
❿ ×
⓫ ×
⓬ ×
⓭ ×
⓮ ○
⓯ ×

연습 3

　　어제 오후 경희대학교에서 제20회 세계 음식 축제가 있었다. 올해는 모두 10팀이 참가했다. 내 친구 호세와 가브리엘도 참가했다. 세계 음식 축제는 참가자들이 고향 음식을 만들어서 다른 나라의 친구들에게 소개하는 대회이다.
　　호세와 가브리엘은 '타코'라는 음식을 만들었다. '타코'는 올해 가장 인기 있는 음식이 되었다. 다양한 채소와 고기, 해물을 함께 먹을 수 있어서 외국인 학생들이 모두 좋아했다. '타코'를 만든 호세와 가브리엘은 경희대학교에서 준비한 상금과 상품을 받았다. 그리고 '타코'는 6월 한 달 동안 학생 식당의 점심 메뉴가 될 것이다.

02 상태동사 아하다/어하다

준비

리사는 개를 무서워한다. / 무서워합니다.

연습 1

❶ 행복해해요
❷ 배고파해요
❸ 나빠했어요
❹ 힘들어하는데
❺ 괴로워하는
❻ 아파하세요

연습 2

❶ ×
❷ ○
❸ ×
❹ ○
❺ ×
❻ ○
❼ ×
❽ ○

03 상태동사 게

준비

㉮ 리사가 글씨를 작게 썼어요.
㉯ 호세가 글씨를 크게 썼어요.
㉰ 나타폰이 글씨를 귀엽게 썼어요.

연습 1

예시 답안

– 아기가 시끄럽게 울어요.
– 선생님께서 한국어를 재미있게 가르쳐 주세요.
– 복잡하게 설명하지 마세요.
– 방을 깨끗하게 청소했어요.
– 가방을 싸게 샀어요.
– 맛있게 요리했어요.

– 쉽게 이야기했어요.

연습 2

❶ 행복하게
❷ 짧게
❸ 크게
❹ 맛있게
❺ 쉽게

연습 3

❶ 귀엽게
❷ 똑똑하게
❸ 차갑게
❹ 무섭게

04 상태동사 (으)ㄴ 지

준비

여자는 일주일 전에 한국에 왔습니다.

연습 1

안 지, 도운 지, 먹은 지, 배운 지

연습 2

❶ 친구를 만난 지 일주일이 됐어요.
❷ 그 사람을 안 지 10년이 됐어요.
❸ 사무실에 전화한 지 얼마 안 됐어요.
❹ 그 회사를 그만둔 지 5년이 됐어요.

연습 3

❶ 한국어를 배운 지 6개월이 됐어요.
❷ 이 집에서 산 지 일주일이 됐어요.
❸ 용돈을 받은 지 한 달이 됐어요.
❹ 입사한 지 3년이 됐어요.

05 상태동사 아/어 보이다

준비

가 뚱뚱해 보여요.
나 날씬해 보여요.

연습 1

❶ 나빠 보여요.

❷ 어려 보여요.
❸ 편해 보여요.
❹ 커 보여요.
❺ 멋있어 보여요.
❻ 단정해 보이는

연습 2

❶ 아이가 귀여워 보여요.
❷ 이 남자가 힘들어 보여요.
❸ 두 사람이 행복해 보여요.
❹ 이 남자가 슬퍼 보여요.

연습 3

❶ 남의 숙제가 쉬워 보인다.
❷ 남의 집이 커 보인다.
❸ 남의 옷이 멋있어 보인다.

06 동사 거든(요)

준비

오랜만에 고향 친구를 만나기로 했거든요.

연습 1

❶ 보고서가 있거든요.
❷ 결혼식에 가거든.
❸ 물이 없거든.
❹ 중국 사람이거든요.

연습 2

❶ 아까 점심을 너무 많이 먹었거든요.
❷ 요즘 회사 일이 많거든요.
❸ 어제 잠을 못 잤거든.
❹ 부모님이 한국에 오시거든요.
❺ 오늘 시내에서 축제를 하거든요.
❻ 친구랑 만나기로 했거든.

07 동작동사 는 데 (좋다/나쁘다)

준비

스트레스를 푸는 데 노래를 부르는 것이 좋아요.

연습 1

❶ 쓰기 실력을 기르는 데

❷ 잠을 깊이 자는 데
❸ 국내 여행을 하는 데
❹ 맛있는 음식을 만드는 데

연습 2

❶ 공부하는 데
❷ 바꾸는 데
❸ 쓰는 데
❹ 하는 데

연습 3

❶ 한국 드라마를 보는 것이 한국어 공부를 하는 데
　도움이 된다.
❷ 잠을 자는 것이 피로를 푸는 데 도움이 된다.
❸ 외국어를 잘하는 것이 취직을 하는 데 도움이 된다.

08 동작동사 게 되다

준비

한국에 처음 왔을 때는 김치를 잘 못 먹었어요. 지금은 잘
먹게 됐어요.

연습 1

❶ 요리를 잘할 수 있게 됐어요.
❷ 한국 소설을 잘 읽을 수 있게 됐어요.
❸ 한국 문화를 알게 됐어요.
❹ 안경을 쓰게 됐어요.

연습 2

❶ 이사를 못 하게 됐어요.
❷ 고향에 돌아가게 됐어요.
❸ 집안일을 잘하게 돼요.
❹ 물을 많이 마시게 돼요.

연습 3

❶ 한국에 오기 전에는 한국 문화를 몰랐는데 한국에 온
　후에는 한국 문화를 알게 됐어요.
❷ 어렸을 때는 채소를 잘 안 먹었는데 지금은 잘 먹게
　됐어요.
❸ 매일 한국어로 일기를 쓰면 한국어를 잘하게 될 거예요.

연습 4

❶ 한국 드라마를 좋아해서 한국어를 배우게 됐습니다.
❷ 어렸을 때부터 그림 그리는 것을 좋아하고 패션에
　관심이 많아서 의상 디자인학과에 지원하게 됐습니다.

09 동작동사 아/어 가다/오다

준비

이 여자는 옛날에 요가를 했어요.
이 여자는 지금도 요가를 해요.
이 여자는 앞으로도 요가를 할 거예요.

연습 1

❶ 빌리는 어렸을 때부터 일기를 써 왔다.
❷ 우리 삼촌은 오래 전부터 도자기를 만들어 오셨다.
❸ 김 과장은 10년 동안 홍보 일을 해 왔다.
❹ 아버지는 20년 동안 수영을 해 오셨다.

연습 2

❶ 보관해 왔다.
❷ 조사해 왔다.
❸ 출연해 왔다.
❹ 실시해 왔다.
❺ 키워 갈 것이다.
❻ 살아 갈 것이다.
❼ 바꾸어 갈 것이다.

연습 3

❶ 꿈꾸어 온/ 꿈꿔 온
❷ 들어 온
❸ 준비해 갈 거야
❹ 배워 가겠습니다

연습 4

❶ 다 끝나 가요.
❷ 다 읽어 가요.
❸ 거의 다 와 가요./ 도착해 가요.
❹ 다 되어 가요.

10 동사 기는 하다

준비

그 식당 음식이 맛있기는 해요.

연습 1

❶ ① 이 식당의 음식이 맛있다는 의미
　② 이 식당의 음식이 맛있다는 것은 인정하지만
　　서비스가 좋지 않거나 가격이 비싸다는 등의 의미
❷ ① 그 친구는 똑똑하다는 의미
　② 그 친구가 똑똑한 것은 맞지만 착하거나 성실하다는
　　의미는 아님.

❸ ① 피아노 치는 방법을 안다는 의미
　② 피아노 치는 방법은 알지만 잘 치거나 하지는 못함.
❹ ① 지난주에 소개팅을 했다는 의미
　② 지난주에 소개팅을 한 것은 맞지만 소개팅을 한
　　사람이 마음에 들거나 하는 것은 아님.

연습 2

❶ 그 사람을 알기는 하지만 친하지는 않아요.
❷ 김치를 먹기는 하지만 좋아하지 않아요.
❸ 새 차를 사고 싶기는 하지만 돈이 부족합니다.
❹ 한국 신문을 읽을 수 있기는 하지만 이해하기 어려워요.
❺ 열심히 공부하기는 했지만 점수는 나쁠 것 같아요.
❻ 나타폰의 생일 파티에 가기는 하겠지만 일찍 집에
　돌아와야 합니다.

11 동작동사 나 보다, 상태동사 (으)ㄴ가 보다

준비

이 남자는 머리가 아픈가 봐요.

연습 1

동작동사	-나 보다	-았나/었나 보다	-(으)려나 보다
먹다	먹나 보다	먹었나 보다	먹으려나 보다
가다	가나 보다	갔나 보다	가려나 보다
살다	사나 보다	살았나 보다	살려나 보다
상태동사	-(으)ㄴ가 보다	-았나/었나 보다	
많다	많은가 보다	많았나 보다	
작다	작은가 보다	작았나 보다	
쉽다	쉬운가 보다	쉬웠나 보다	
길다	긴가 보다	길었나 보다	
맛있다	맛있나 보다	맛있었나 보다	
명사	인가 보다	이었나/였나 보다	
학생	학생인가 보다	학생이었나 보다	
의사	의사인가 보다	의사였나 보다	

연습 2

❶ 빵을 잘 만드나 봐요.
❷ 회사가 먼가 봐요.
❸ 영화가 재미없나 봐요.
❹ 날씨가 추운가 봐요.
❺ 어제 약속이 있었나 봐요.
❻ 동생이 집에 왔나 봐요.

연습 3

❶ 돈을 찾나 봐요.
❷ 오늘 수업이 없나 봐요.
❸ 바쁜가 봐요. / 일이 많은가 봐요.
❹ 더운가 봐요.
❺ 음식이 맛없나 봐요.
❻ 여행을 가나 봐요.

연습 4

❶ 어디 아픈가 봐요.
❷ 지금 바쁜가 봐요.
❸ 좋은 일이 생겼나 봐요.
❹ 저 빵집의 빵이 맛있나 봐요.

연습 5

❶ 두 사람이 싸우나 봐요.
❷ 아내가 거짓말을 했나 봐요.
❸ 두 사람이 화가 났나 봐요.

12 명사 (이)나

준비

20명이나 왔어요?

연습 1

	이나		나
세 번	세 번이나	네 대	네 대나
다섯 권	다섯 권이나	두 채	두 채나
일곱 편	일곱 편이나	여덟 마리	여덟 마리나
아홉 벌	아홉 벌이나	스무 켤레	스무 켤레나
열 잔	열 잔이나	백 송이	백 송이나

연습 2

❶ 여섯 편이나
❷ 다섯 명이나
❸ 오십 채나
❹ 세 개나

연습 3

❶ 두 시간이나 걸려요
❷ 13개국이나 돌았어
❸ 100장이나 모았어요? 많이 모았네요.
❹ 20년이나 됐어요? 오래 살았네요.

13 명사 밖에 (없다)

준비

두 시간밖에 못 잤어요?

연습 1

❶ 지금 오백 원밖에 없어요.
❷ 올해 책을 한 권밖에 못 읽었어요.
❸ 설악산에 한 번밖에 안 가 봤습니다.
❹ 정장을 한 벌밖에 안 가지고 있어요.

연습 2

❶ 이틀밖에 안 됐어요.
❷ 5분밖에 안 걸려요.
❸ 이 집밖에 없어요.
❹ 명동밖에 못 가 봤어요.

연습 3

❶ 네 시간밖에 못 잤어요.
❷ 한국어밖에 안 배웠어요.
❸ 중국밖에 못 가 봤어요.
❹ 두 명밖에 못 사귀었어요.

14 동작동사 (으)려다(가)

준비

커피를 마셨어요.

연습 1

❶ 소설책을 읽으려다가 피곤해서 그냥 잤어요.
❷ 야근을 하려다가 몸이 안 좋아서 일찍 퇴근했어요.
❸ 버스를 타려다가 길이 막힐 것 같아서 지하철을 탔어요.
❹ 친구에게 전화를 하려다가 버스 안이어서 문자를
   보냈어요.
❺ 잡채를 만들려다가 재료가 없어서 볶음밥을
   만들었어요.

연습 2

❶ 외출하려다가
❷ 이사하려다가
❸ 가려다가
❹ 다녀오려다가

연습 3

❶ 밥을 먹으려다가 갑자기 라면이 먹고 싶어서 라면을

먹었어요.
❷ 영화를 보려다가 표가 없어서 커피숍에 갔어요.
❸ 내일이 생일이라고 말하려다가 생일 파티도 하지
   않아서 말하지 않았어요.
❹ 팬미팅에 가려다가 갑자기 일이 생겨서 못 갔어요.

15 동사 는/(으)ㄴ 걸 보니(까)

준비

다니엘이 기침을 해서

연습 1

❶ 표정이 안 좋은 걸 보니까
❷ 밖이 조용한 걸 보니까
❸ 얼굴이 닮은 걸 보니까
❹ 서점에 자주 가는 걸 보니까
❺ 음식을 많이 만든 걸 보니까
❻ 연락이 통 없는 걸 보니까

연습 2

❶ 불이 꺼진 걸 보니까 사무실에 사람이 없나 봐요.
❷ 시계를 자주 보는 걸 보니까 약속이 있는 것 같아요.
❸ 집이 깨끗한 걸 보니까 아까 청소를 했나 봐요.
❹ 눈이 빨간 걸 보니까 피곤한가 봐요.
❺ 머리를 짧게 자른 걸 보니까 남자 친구와 헤어졌나 봐요.
❻ 경찰이 온 걸 보니까 사고가 났나 봐요.

16 동사 잖아(요)

준비

가족들이 모두 키가 크잖아요.

연습 1

❶ 음식이 맛있잖아.
❷ 성격이 좋잖아.
❸ 다리를 다쳤잖아요.
❹ 일본어를 공부했잖아요.

연습 2

❶ 퇴근 시간이잖아.
❷ 제가 그 배우 팬이잖아요.
❸ 환절기잖아요.
❹ 다니엘은 돼지고기를 싫어하잖아요.

17 동사 았었/었었

준비

크리스가 10년 전에는 날씬했었어요.

연습1

❶ ①은 과거에 부산에 살았다는 사실만을 말하고 현재 상황에 대해서는 모름.
②는 과거에 부산에 살았지만 현재는 부산이 아닌 다른 곳에 산다는 것까지 알 수 있음.
❷ ①은 고향 친구가 한국에 왔다는 사실만을 말하고 현재 한국에 있는지 없는지 모름.
②는 고향 친구가 한국에 왔었지만 현재는 한국에 없다는 것까지 알 수 있음.
❸ ①은 컴퓨터가 고장 났고 현재도 고장이 난 그 상태로 있음.
②는 컴퓨터가 고장 났었지만 현재는 고쳤다는 사실까지 알 수 있음.
❹ ①는 감기에 걸렸고 현재도 감기에 걸린 그 상태로 있음.
②는 감기에 걸렸었지만 현재는 다 나아서 아프지 않다는 사실까지 알 수 있음.

연습2

❶ 봤었어요.
❷ 갔었어요.
❸ 비쌌었어요.
❹ 아니었었어요.

18 명사 에 따라(서)

준비

비행기 표 가격이 요일에 따라 다릅니다.

연습1

❶ 비행기 표 가격은 항공사에 따라서 다릅니다.
❷ 옷차림은 그날의 기분에 따라서 달라집니다.
❸ 음식의 맛은 재료에 따라서 달라요.
❹ 여행 준비물은 여행지에 따라서 달라집니다.
❺ 월세는 방의 크기에 따라서 다릅니다.

연습2

❶ 날씨에 따라서
❷ 제조 회사에 따라서
❸ 여행 기간에 따라서
❹ 계절에 따라서
❺ 기분에 따라서

19 동작동사 아/어 놓다/두다

준비

텔레비전을 켜 놓았어요.

연습1

옷걸이에 옷을 걸어 두었어요.
침대 위에 옷을 놓아두었어요.
창문을 닫아 두었어요.
양말을 카페트 위에 벗어 두었어요.
옷장을 열어 두었어요.
텔레비전을 켜 놓았어요.
라디오를 틀어 놓았어요.
노트북을 책상 위에 올려놓았어요.
책을 펼쳐 두었어요.

연습2

❶ 넣어 놓아라/ 두어라.
❷ 예매해 놓았어/ 두었어
❸ 싸 놓았어요/ 두었어요
❹ 모아 놓은 거야/ 모아 둔 거야

20 동사 아도/어도

준비

비가 많이 와도 출근해야 합니다.

연습1

❷ 날씨가 더워도 에어컨을 켜 놓고 자지 마세요.
❸ 한 시간을 기다려도 친구가 오지 않았어요.
❹ 커피를 많이 마셔도 계속 졸려요.
❺ 매일 농구를 연습해도 실력이 좋아지지 않네요.

연습2

❷ 바빠도 숙제를 꼭 해요.
❸ 피곤해도 샤워를 꼭 하고 자요.
❹ 시간이 없어도 매일 이메일을 확인해요.
❺ 배가 불러도 후식을 꼭 먹어요.

연습3

❶ 회사에서 좀 멀어도 깨끗한 집으로 이사하고 싶어요.
❷ 가격이 비싸도 성능이 좋은 휴대폰을 사고 싶어요.
❸ 월급이 적어도 적성에 맞는 일을 하고 싶어요.
❹ 얼굴이 못생겨도 성격이 좋은 사람과 결혼하고 싶어요.

21 동작동사 자마자

준비

아침에 일어나자마자 휴대폰을 봐요.

연습1

❷ 아침에 일어나자마자 물을 마시면 건강에 좋아요.
❸ 고향에 도착하자마자 연락할게.
❹ 그 사람을 보자마자 첫눈에 반했어요.
❺ 창문을 열자마자 시원한 바람이 불어왔다.

연습2

❶ 졸업을 하자마자 취직을 했어요.
❷ 이사를 하자마자 집들이를 해요.
❸ 결혼식을 하자마자 신혼여행을 갈 거예요.
❹ 불이 나자마자 소방서에 전화했어요.
❺ 6시가 되자마자 퇴근해요.

22 동작동사 (으)려면

준비

한국 회사에 취직하려면 한국어를 공부해야 돼요.

연습1

❶ 면접을 잘 보려면 미리 연습을 해야 돼요.
❷ 비행기 시간에 늦지 않으려면 5시에 출발해야 합니다.
❸ 인터넷으로 표를 예매하려면 먼저 회원 가입을 해야 돼요.
❹ 나중에 후회하지 않으려면 전공 선택을 잘 해야 돼요.
❺ 비자를 연장하려면 무엇이 필요합니까?

연습2

❶ 싸고 좋은 물건을 사려면
❷ 글을 잘 쓰려면
❸ 옷을 환불하시려면
❹ 영화를 보려면

23 동사 는지/(으)ㄴ지 (알다/모르다)

준비

명동에 어떻게 가는지 알아요?

연습1

동작동사	-는지	-았는지/었는지	-(으)ㄹ지
먹다	먹는지	먹었는지	먹을지
가다	가는지	갔는지	갈지
듣다	듣는지	들었는지	들을지
만들다	만드는지	만들었는지	만들지
상태동사	-(으)ㄴ지	-았는지/었는지	-(으)ㄹ지
좋다	좋은지	좋았는지	좋을지
예쁘다	예쁜지	예뻤는지	예쁠지
덥다	더운지	더웠는지	더울지
멀다	먼지	멀었는지	멀지
어떻다	어떤지	어땠는지	어떨지
맛있다	맛있는지	맛있었는지	맛있을지
명사	인지	이었는지/였는지	일지
학생	학생인지	학생이었는지	학생일지
의사	의사인지	의사였는지	의사일지

연습2

❶ 경희대학교가 어디에 있는지 알아요?
❷ 내일 날씨가 어떤지 알고 싶어요.
❸ 그 사람 이름이 뭔지 몰라요.
❹ 마지막으로 언제 영화를 봤는지 모르겠어요.
❺ 등산을 갈 수 있는지 없는지 알려 주세요.
　 등산을 갈 수 있을지 없을지 알려 주세요.

연습3

❶ 제시카 씨가 어디에 사는지 몰라요.
❷ 언제 야유회를 가는지 모르겠어요.
❸ 언제 개봉하는지 알아요
❹ 봄이 좋을지 가을이 좋을지 나도 모르겠어.

24 동사 (으)며

준비

'-고'와 비슷합니다.

연습1

❶ 이번 영화제는 다음 달에 개막하며 총 297편의 영화가 상영될 예정이다.
❷ 이 회사의 직원은 대부분 한국 사람이며 경영학과 국제관계학을 전공했다.
❸ 우리 학교는 1949년에 세워졌으며 현재 서울, 수원, 광릉에 캠퍼스가 있다.
❹ 제시카는 라디오를 들으며 청소를 한다.
❺ 대화할 때는 상대방의 눈을 보며 이야기하는 것이 좋다.

⑥ 사람들이 눈을 맞으며 회사로 출근했다.

연습 2

따뜻하며, 더우며, 쾌적하며, 만들며

25 동작동사 는 바람에

준비

바람이 부는 바람에 모자가 날아갔어요.

연습 1

① ×
② ×
③ ○
④ ×

연습 2

① 지갑을 잃어버리는 바람에 밥을 못 먹었다.
② 눈이 오는 바람에 길이 많이 막혔다.
③ 컴퓨터가 고장 나는 바람에 숙제를 못 했다.
④ 버스가 갑자기 멈추는 바람에 사고가 났다.

연습 3

① 늦잠을 자는 바람에
② 부모님께서 갑자기 집에 오시는 바람에
③ 배탈이 나는 바람에
④ 급한 일이 생기는 바람에

26 동사 더라/더군(요)

준비

빌리가 태권도를 잘하더라/ 잘하더군요.

연습 1

① 배우들이 연기를 잘하고 배경 음악도 좋더군요.
② 예상보다 어렵지 않더군요.
③ 긴장도 하지 않고 연습 때보다 더 잘하더라.
④ 세일이 끝나서 사람이 별로 없더라.

연습 2

① 아름답더라
② 맛있더라
③ 보고 싶더라

27 아무 명사 도

준비

교실에 아무도 없습니다.

연습 1

① 아무한테도
② 아무것도
③ 아무 데도
④ 아무하고도
⑤ 아무 말도

연습 2

① 아무것도 못 먹었어요.
② 아무 데도 안 갈 거예요.
③ 아무도 없어요.
④ 아무한테도 연락하지 못했어요.

연습 3

① 아무것도
② 아무도
③ 아무 데도
④ 아무 말도

28 동작동사 나(요)?, 상태동사 (으)ㄴ가(요)?

준비

기차역에 어떻게 가나요?

연습 1

동작동사	-나요?	-았나요/었나요?	-(으)ㄹ 건가요?
먹다	먹나요?	먹었나요?	먹을 건가요?
가다	가나요?	갔나요?	갈 건가요?
살다	사나요?	살았나요?	살 건가요?
상태동사	-(으)ㄴ가요?	-았나요/었나요?	
많다	많은가요?	많았나요?	
작다	작은가요?	작았나요?	
길다	긴가요?	길었나요?	
쉽다	쉬운가요?	쉬웠나요?	
맛있다	맛있나요?	맛있었나요?	
명사	인가요?	이었나요/였나요?	
학생	학생인가요?	학생이었나요?	
의사	의사인가요?	의사였나요?	

연습 2

❶ 경희대학교까지 어떻게 가나요?
❷ 한국 문화를 체험할 수 있는 곳은 어디인가요?
❸ 한국 전자에 취직하고 싶은데 무엇을 준비해야 하나요?
❹ 서울 백화점 전화번호는 몇 번인가요?

연습 3

❶ 몇 시에 문을 여나요?
❷ 이 제품은 교환이 가능한가요?
❸ 스포츠 의류는 몇 층에서 살 수 있나요?
❹ 제가 주문한 물건은 언제 받을 수 있나요?

연습 4

❶ 호텔 예약은 어떻게 해야 하나요?
❷ 이 근처에서 어느 호텔이 가장 싼가요?
❸ 그 호텔까지 어떻게 가야 하나요?

29 [동작동사] (으)ㄹ 만하다

준비

제주도

연습 1

❶ 먹을 만해요.
❷ 볼 만한
❸ 통역할 만한
❹ 가 볼 만해요.

연습 2

❶ 지낼 만해요.
❷ 탈 만해요.
❸ 들을 만해요.
❹ 공부할 만해요.

30 [동사] 던

준비

제가 예전에 다니던 학교예요.

연습 1

❶ 어렸을 때 매일 만나서 놀던 친구를 다시 만났다.
❷ 유학할 때 자주 밥을 먹던 식당에서 오랜만에 점심을 먹었다.
❸ 형이 타던 자전거를 내가 탄다.

❹ 조금 전에 하던 이야기가 기억나지 않는다.

연습 2

❶ 같이 한국어를 공부했던 친구예요.
❷ 어렸을 때 가지고 놀았던 장난감이에요.
❸ 생일날 친구들과 놀러 갔던 해변이에요.
❹ 제가 태어나서 처음 신었던 신발이에요.

연습 3

❶ 마시던 커피예요.
❷ 보던/ 읽던 책이에요.
❸ 먹던 사과예요.

31 직접 인용

준비

빌리가 "시험을 잘 봐서 기분이 좋아요."라고 했어요.

연습 1

❶ 친구가 "주말에 같이 음악회에 가자."라고 했어요.
❷ 직장 선배가 "한국어를 참 잘하네요."라고 했어요.
❸ 하숙집 아주머니께서 "어디에서 왔어요?"라고 하셨어요.
❹ 선생님께서 "공부 열심히 하세요."라고 하셨어요.
❺ 어머니께서 "집에 일찍 들어와라."라고 하셨어요.

연습 2

❷ 고양이가 "야옹야옹"하고 울어요.
❸ 소가 "음매"하고 울어요.
❹ 개구리가 "개굴개굴"하고 울어요.

32 간접 인용(1) 평서형

준비

한국 드라마 보는 것을 좋아한다고 했어요.

	-(는/ㄴ)다고 하다	-았다고/었다고 하다	-(으)ㄹ 거라고 하다
먹다	먹는다고 하다	먹었다고 하다	먹을 거라고 하다
가다	간다고 하다	갔다고 하다	갈 거라고 하다
가지 않다	가지 않는다고 하다	가지 않았다고 하다	가지 않을 거라고 하다
좋다	좋다고 하다	좋았다고 하다	좋을 거라고 하다
크다	크다고 하다	컸다고 하다	클 거라고 하다
크지 않다	크지 않다고 하다	크지 않았다고 하다	크지 않을 거라고 하다
학생	학생이라고 하다	학생이었다고 하다	학생일 거라고 하다
친구	친구라고 하다	친구였다고 하다	친구일 거라고 하다
친구가 아니다	친구가 아니라고 하다	친구가 아니었다고 하다	친구가 아닐 거라고 하다

연습 2

❶ 제시카가 매일 한국 신문을 읽는다고 했어요.
❷ 선생님께서 다음 달에 경주로 현지 학습을 갈 거라고 말씀하셨어요.
❸ 칼리드가 요즘 부모님이 보고 싶다고 했어요.
❹ 일기예보에서 내일은 전국적으로 눈이 오겠다고 했어요.
❺ 친구가 선물을 보고 아주 마음에 든다고 했어요.
❻ 백화점 직원이 다음 주 월요일에는 문을 열지 않는다고 했어요.
❼ 다니엘이 이 식당은 김치찌개가 맛있다고 했어요.
❽ 호세가 할아버지께서 건강이 많이 좋아지셨다고 했어요.
❾ 여자 친구가 양복을 입으니까 더 멋있는 것 같다고 했어요.
❿ 빌리가 이건 자기 가방이라고 했어요.
⓫ 관광 안내원이 이곳은 옛날에는 공원이었다고 했어요.

연습 3

❷ 경복궁 근처에 산다고 했습니다.
❸ 아니요. 모른다고 했어요.
❹ 아니요. 참석하지 못한다고 했어요.
❺ 아니요. 그저께가 생일이었다고 했어요.

33 간접 인용(2) 의문형

준비

주말에 보통 뭐 하냐고 했어요.

연습 1

동작동사	-냐고 하다	-았냐고/었냐고 하다	-(으)ㄹ 거냐고 하다
먹다	먹냐고 하다	먹었냐고 하다	먹을 거냐고 하다
가다	가냐고 하다	갔냐고 하다	갈 거냐고 하다
듣다	듣냐고 하다	들었냐고 하다	들을 거냐고 하다
만들다	만드냐고 하다	만들었냐고 하다	만들 거냐고 하다
상태동사	**-냐고 하다**	**-았냐고/었냐고 하다**	**-겠냐고 하다**
좋다	좋냐고 하다	좋았냐고 하다	좋겠냐고 하다
크다	크냐고 하다	컸냐고 하다	크겠냐고 하다
덥다	덥냐고 하다	더웠냐고 하다	덥겠냐고 하다
멀다	머냐고 하다	멀었냐고 하다	멀겠냐고 하다
*어떻다	어떠냐고 하다	어땠냐고 하다	어떻겠냐고 하다
명사	**(이)냐고 하다**	**이었냐고/였냐고 하다**	**(이)겠냐고 하다**
학생	학생이냐고 하다	학생이었냐고 하다	학생이겠냐고 하다
친구	친구냐고 하다	친구였냐고 하다	친구겠냐고 하다

연습 2

❶ 서울에서 춘천까지 기차로 얼마나 걸리냐고 했어요.
❷ 콘서트가 몇 시에 시작하는지 아냐고 물었어요.
❸ 지금 무슨 음악을 듣냐고 했어요.
❹ 복권에 당첨된다면 뭘 하고 싶냐고 물었어요.
❺ 한국 문화를 이해하기가 어렵지 않냐고 했습니다.
❻ 오늘 기분이 어떠냐고 물었어요.
❼ 이 운동화는 얼마냐고 했어요.
❽ 이 단어가 무슨 뜻이냐고 물었어요.
❾ 어머니 생신 선물로 뭐가 좋겠냐고 물었어요.
❿ 지난 주말에 뭐 했냐고 했어요.
⓫ 그동안 어떻게 지냈냐고 물었어요.
⓬ 여름휴가 때 어디에 갈 거냐고 했어요.

34 간접 인용(3) 명령형

준비

아침을 꼭 먹으라고 하셨어요.

연습 1

❶ 아버지께서 밤길이 위험하니까 집에 일찍 들어오라고 하셨어요.
❷ 할머니께서 더우니까 창문 좀 열라고 하셨어요.
❸ 선생님께서 수업 시간에 떠들지 말라고 하셨어요.
❹ 호세가 보고서 써야 하니까 방해하지 말라고 했어요.
❺ 약사가 이 약을 식후 30분에 먹으라고 했어요.
❻ 빌리가 다른 친구들에게 약속 장소를 알려 주라고 했어요.

❼ 과장님께서 이 서류를 제시카 씨에게 전해 주라고
하셨어요.
❽ 손님이 영수증을 달라고 했어요.
❾ 리사가 유진한테 (자기) 좀 도와 달라고 했어요.
❿ 수지가 사진 좀 찍어 달라고 했어요.

연습 2

❶ 다른 사람을 도와주면서 살라고 하세요.
위험한 곳에 가지 말라고 하세요.
❷ 전화를 자주 하라고 해요.
다른 여자/ 남자를 만나지 말라고 해요.
❸ 집에 일찍 들어오라고 해요.
담배를 피우지 말라고 해요.

35 간접 인용(4) 청유형

준비

오늘 저녁을 같이 먹자고 했어요.

연습 1

❶ 호세가 시험 끝나고 같이 등산 가자고 했습니다.
❷ 왕밍이 날씨가 좋으니까 같이 걷자고 했어요.
❸ 직장 동료가 퇴근 후에 가볍게 한잔하자고 했습니다.
❹ 어머니께서 이번 주말에 모두 같이 대청소를 하자고
하셨어요.
❺ 아내가 이번 휴가에 해외여행을 가자고 했어요.
❻ 빌리가 오늘은 피곤하니까 축구를 하지 말자고 했어요.
❼ 직원들이 올해는 야유회를 가지 말자고 했습니다.

연습 2

❶ 여행을 가자고 말하고 싶어요.
❷ 취미 활동을 같이 하자고 말하고 싶어요.
❸ 결혼하자고 말하고 싶어요.
❹ 같이 운동하자고 말하고 싶어요.

36 간접 인용(5) 축약형

준비

1. 한국 드라마 보는 것을 좋아한대요.
2. 내일 회사에 일찍 오래요.

연습 1

❶ 빌리가 (자기가) 식당을 미리 예약해 놓았대요.
❷ 리사가 결혼 후에 호주로 이민을 갈 거래요.

❸ 올가가 어제 본 사람은 나타폰의 남자 친구가 아니래요.
❹ 지훈이가 배우자의 조건이 어떻게 되냬요.
❺ 과장님께서 다른 사람들에게 회의 날짜를 알려 주래요.
❻ 나타폰이 도서관에 사람이 많지 않대요.
❼ 칸이 다시 한 번 설명해 달래요.
❽ 호세가 주말에 같이 축구하재요.
❾ 직원이 여기는 금연 구역이라 담배를 피우면 안 된대요.
❿ 사장님께서 직접 회의를 진행하신대요.
⓫ 칼리드가 자기는 이슬람교도여서 돼지고기를 먹지
않는대요.
⓬ 왕밍이 대학원에 가서 동아시아 문화를 공부해 보고
싶대요.
⓭ 선생님께서 다문화 사회에서는 서로의 문화를 이해하는
게 중요하대요.
⓮ 수지가 다음 주에는 야근하지 말고 일찍 퇴근하재요.

연습 2

❶ 시작한대
❷ 시작한대
❸ 조각해 놓았대
❹ 조각해 볼 수 있대
❺ 준대
❻ 한대
❼ 갈 거래/ 갈 거랬어

37 동사 더라고요

준비

제주도가 정말 아름답더라고요.

연습 1

❶ 올가가 부채춤을 추더라고요.
❷ 윤주가 새 차를 샀더라고요.
❸ 나타폰이 만든 음식이 맛있더라고요./ 나타폰이 요리를
잘하더라고요.
❹ 명동에는 한국 사람보다 외국인이 많더라고요.

연습 2

❶ 다니엘이 프랑스 남자는 로맨틱하다고 하더라고요.
❷ 빌리가 한국 사람들은 모두 축구를 좋아하냐고
묻더라고요.
❸ 호세가 수업 끝나고 당구장에 같이 가자고 하더라고요.
❹ 선생님께서 금요일까지 과제를 메일로 제출하라고
하시더라고요.

38 명사 에 비해서

준비

할아버지가 나이에 비해서 젊어 보인다.

연습 1

❶ 시장은 백화점에 비해(서) 싸다.
❷ 올해는 작년에 비해(서) 덥다.
❸ 이 옷은 가격에 비해(서) 품질이 좋다.
❹ 그 회사는 월급에 비해(서) 일이 많다.

연습 2

❶ 가격에 비해(서)
❷ 나이에 비해(서)
❸ 얼굴에 비해(서)
❹ 실력에 비해(서)

연습 3

❷ 사람 수에 비해서 너무 적다.
❸ 말하기 점수에 비해서 좋지 않다.
❹ 키에 비해서 발 사이즈가 작다.

39 명사 에 따르면

준비

KHU 뉴스에서 한국인의 결혼 연령이 높아지고 있다는
이야기를 들었다.

연습 1

❶ 전문가에 따르면 웃음은 모든 병에 치료 효과가 있다고
한다.
❷ 일기예보에 따르면 올여름이 작년에 비해 많이 덥다고
한다.
❸ 신문 기사에 따르면 이번 주말에 불꽃 축제로 시내
교통이 복잡할 거라고 한다.
❹ 자동차 시장 조사 보고서에 따르면 올해 자동차
판매량이 증가했다고 한다.

40 동사 (으)ㄴ/는 편이다

준비

180cm

연습 1

❶ 적게 하는 편이에요.
❷ 자주 오는 편이야.
❸ 큰 편이니까
❹ 넓은 편이죠.

연습 2

❷ 사고가 많이 나는 편이에요.
❸ 회식을 안 하는 편이에요.
❹ 광고에 안 나오는 편이에요.
❺ 인기가 많은 편이에요.
❻ 맛있는 편이에요.

41 명사 만에

준비

삼일/ 사흘 만에 주문한 책을 받았어요.

연습 1

❶ 한 달 만에
❷ 사 일 만에/나흘 만에
❸ 삼 일 만에/사흘 만에
❹ 이틀 만에

연습 2

❶ 입사한 지 6개월 만에 승진했어요.
❷ 잃어버린 지 1시간 만에 경찰서에서 전화가 왔어요.
❸ 출발한 지 2시간 만에 도착했어요.
❹ 산 지 하루 만에 고장이 났어요.

42 동작동사 지 그래요?

준비

병원에 가지 그래요?
집에 가서 쉬지 그래요?

연습 1

❶ 사전을 찾아보지 그래요?
❷ 도서관에서 빌리지 그래요?
❸ 먼저 전화하지 그래요?
❹ 잠깐 쉬지 그래요?

연습 2

❶ 회사 근처로 이사하지 그래요?

⑤ 아름다운
⑥ 적게
⑦ 예쁘게
⑧ 큰
⑨ 귀여운

③ ×
④ ○
⑤ ×
⑥ ○
⑦ ○

65 동사 고, 동사 (으)며

준비

가는 회의가 끝난 후에 식사하는 것이며 나 회의와 동시에 식사를 함께 한다는 것을 의미한다.

연습1

① 길을 걸으며 빵을 먹는다.
빵을 먹으며 출근을 한다.
가방을 메고 출근을 한다.
빵과 우유를 들고 걷는다.
② 헤드폰을 끼고 음악을 듣는다.
눈을 감고 음악을 듣는다.
③ TV를 보며 음식을 먹는다.

연습2

① ②
② ②
③ ②
④ ①

66 동작동사 아서/어서, 동작동사 고 나서

준비

가 고기와 채소를 사고 그 고기와 채소로 음식을 만든다는 의미
나 고기와 채소를 산 후에 음식을 만든다는 의미

연습1

① 가서
② 일어나서
③ 하고 나서
④ 내리고 나서
⑤ 꺼지고 나서
⑥ 만나서

연습2

① ○
② ×

67 명사 처럼, 명사 만큼

준비

가 말을 빨리 하는 선생님의 모습과 비교
나 선생님이 하는 말의 양과 비교

연습1

① 만큼
② 만큼, 만큼
③ 처럼
④ 처럼
⑤ 처럼
⑥ 만큼
⑦ 처럼
⑧ 처럼

68 명사 만, 명사 뿐

준비

가와 나는 명사에 붙어 오직 그것 하나를 뜻하지만 문장 구성이 서로 다르다.

연습1

① 만
② 뿐
③ 만
④ 뿐
⑤ 만
⑥ 만
⑦ 뿐

69 동사 네(요), 동사 더라

준비

가와 나는 화자가 직접 경험한 내용을 말할 때 사용한다. 다만 가는 현재 경험을, 나는 과거 경험을 말할 때 사용한다.

연습 1

❶ ×
❷ ○
❸ ○
❹ ×
❺ ○
❻ ○
❼ ×

70 상태동사 아지다/어지다, 동사 게 되다

준비

겨울이 되면 날씨가 추워진다. 사람들이 옷을 두껍게 입게
된다.

연습 1

❶ 웃게 되는
❷ 따뜻해져서
❸ 먹게 된
❹ 듣게 됐어요
❺ 좋아져서, 먹게 됐어요

연습 2

❶ 밝아졌다
❷ 하게 됐다
❸ 보게 됐다
❹ 많아졌다
❺ 힘들어졌다

71 동사 지만, 동사 기는 하지만

준비

㉠와 ㉡는 대조적인 내용을 말할 때 사용한다. ㉠는 서로
다른 사람이나 사물을, ㉡는 동일한 사람이나 사물에 대해
대조적으로 말할 때 사용한다.

연습 1

❶ ○
❷ ○
❸ ×
❹ ○
❺ ○
❻ ○
❼ ○
❽ ×

72 동작동사 자마자, 동작동사 는 대로

준비

㉠와 ㉡는 '어떤 일이 끝나고 바로'의 의미를 나타내지만
㉠는 앞뒤 일이 관계없이 일어날 때 ㉡는 앞뒤 일이 서로
관계를 가지고 일어날 때 사용한다.

연습 1

❶ ○
❷ ○
❸ ×
❹ ○
❺ ×
❻ ×
❼ ×
❽ ○
❾ ×
❿ ×
⓫ ○
⓬ ○

73 동사 거든(요), 동사 잖아(요)

준비

㉠는 화자만 알고 있는 사실에 대해 말할 때,
㉡는 화자와 청자가 모두 알고 있는 사실에 대해 말할 때
사용한다.

연습 1

❶ ②
❷ ①
❸ ②
❹ ①
❺ ①

74 명사 (이)나 명사 밖에 (없다)

준비

'10명이나'는 한국 친구가 많다는 의미이고 '2명밖에'는
한국 친구가 적다는 의미입니다.

연습 1

❶ 5분이나
❷ 두 집밖에

❸ 30%나
❹ 1.2명밖에

❶ 세 시간밖에
❷ 네 마리나
❸ 40분밖에
❹ 한 장밖에

75 동사 는데/(으)ㄴ데, 동사 던데

준비

까는 인칭에 관계없이 사용할 수 있으나 나는 주로 2, 3 인칭에 대해 사용한다.

연습 1

❶ 갔는데
❷ 봤는데
❸ 사던데
❹ 하던데
❺ 먹었는데
❻ 읽던데
❼ 있는데
❽ 회의 중인데

76 이유 표현 종합 연습

준비

알람시계가 안 울려서
알람시계 때문에
알람시계가 안 울리는 바람에
알람시계가 안 울려 가지고

연습 1

❶ 바쁘니까
❷ 자라서
❸ 밀리니까
❹ 날씨 때문에

연습 2

❶ 밖이 시끄러워 가지고 잠을 못 잤어요.
❷ 오다가 사고가 나는 바람에 늦었습니다.
❸ 밥 먹기 전에 간식을 먹어 가지고 배가 별로 안 고파요.
❹ 갑자기 비가 오는 바람에 옷이 젖어 가지고 감기에 걸렸어요.

연습 3

❶ ① 옷이 다 젖었어요.
  ② 행사가 취소됐어요.
❷ ① 밖에 나가기 싫어요.
  ② 손이 얼었어요.
❸ ① 친구에게 전화를 했어요.
  ② 밖에 나가서 걸었어요.
❹ ① 메시지를 보냈어요.
  ② 먼저 집에 갔어요.
❺ ① 시험을 잘 못 봐 가지고
  ② 친구하고 싸워 가지고
❻ ① 태풍이 오는 바람에
  ② 몸이 좀 안 좋아 가지고
❼ ① 교통 사고가 잘 나는 지역이므로
  ② 바닥이 미끄러우므로
❽ ① 행사가 진행되고 있으므로
  ② 이곳은 통제 구역이므로

연습 4

❶ ×
❷ ×
❸ ×
❹ ○
❺ ×
❻ ×
❼ ×

듣기 지문

01 반말 종합 연습

준비 잘 듣고 두 사람의 관계를 고르십시오. Track 01 (8쪽)

❶ 리사: 보고서 준비, 어디에서 할 거야?
　 빌리: 오늘은 도서관에 갈까 하는데 왜?
　 리사: 그래? 그럼 도서관, 나랑 같이 가자.
　 빌리: 그래. 같이 가자.
❷ 딸　: 제 가방 못 보셨어요?
　 엄마: 거기 네 책상에 두었는데 없니?
　 딸　: 없어요. 어디에 두신 거예요?
　 엄마: 천천히 잘 찾아봐라.

12 명사 (이)나

준비 잘 듣고 이어질 말을 생각해 보십시오. Track 02 (38쪽)

지훈: 생일파티에 친구들이 몇 명 왔어요?
빌리: 스무 명 왔어요.

13 명사 밖에 (없다)

준비 잘 듣고 이어질 말을 생각해 보십시오. Track 03 (40쪽)

유진: 어제 몇 시간 잤어요?
빌리: 두 시간 잤어요.

14 동작동사 (으)려다가

준비 잘 듣고 이 사람들이 무엇을 마셨는지 이야기해
보십시오.　　　　　　　　　　　　Track 04 (43쪽)

여: 저기 편의점이 있다! 가서 콜라 마실래?
남: 좋아.
(잠시 후)
여: 어? 여기 봐. 커피 1+1 행사 하는데.
남: 그럼, 커피 마시자.

29 동작동사 (으)ㄹ 만하다

준비 여자가 추천한 곳은 어디입니까?　　Track 05 (80쪽)

호　세: 방학 때 여행하고 싶은데 어디로 가면 좋을까요?
나타폰: 제주도 어때요? 제주도는 경치도 아름답고 음식도
　　　　맛있으니까 꼭 한번 가 보세요.

31 직접 인용

준비 잘 듣고 남자가 무슨 말을 했는지 이야기해 보십시오.
　　　　　　　　　　　　　　　　Track 06 (85쪽)

리사: 무슨 좋은 일 있어?
빌리: 시험을 잘 봐서 기분이 정말 좋아.

32 간접 인용(1) 평서형

준비 잘 듣고 여자가 무슨 말을 했는지 이야기해 보십시오.
　　　　　　　　　　　　　　　　Track 07 (87쪽)

다니엘: 나타폰 씨는 뭘 좋아해요?
나타폰: 저는 한국 드라마 보는 것을 좋아해요.

33 간접 인용(2) 의문형

준비 잘 듣고 남자가 무슨 말을 했는지 이야기해 보십시오.
　　　　　　　　　　　　　　　　Track 08 (91쪽)

호세: 올가 씨는 주말에 보통 뭐 해요?
올가: 주말에는 주로 집에서 쉬거나 영화를 보러 가요.

34 간접 인용(3) 명령형

준비 잘 듣고 어머니께서 무슨 말을 했는지 이야기해
보십시오.　　　　　　　　　　　　Track 09 (94쪽)

어머니: 아침에 좀 바빠도 아침밥은 꼭 먹어라.
아　 들: 네. 어머니.

35 간접 인용(4) 청유형

준비 잘 듣고 여자가 무슨 말을 했는지 이야기해 보십시오.
Track 10 (97쪽)

여자: 오늘 저녁 같이 먹을까?
남자: 그래. 같이 먹자.

36 간접 인용(5) 축약형

준비 잘 듣고 여자가 무슨 말을 했는지 이야기해 보십시오.
Track 11 (99쪽)

❶ 다니엘: 나타폰 씨는 왜 한국어를 배우게 됐어요?
나타폰: 한국 드라마 보는 것을 좋아해서요.
❷ 제시카: 회의 준비를 해야 하니까 내일은 회사에 좀 일찍
와 주세요.
칸   : 그래요. 일찍 올게요.

40 동사 는/(으)ㄴ 편이다

준비 잘 듣고 '나'는 누구인지 찾아보십시오.
Track 12 (108쪽)

남: 우리 가족사진이에요. 우리 가족은 모두 키가 커요. 저
도 키가 크지만 우리 가족 중에서는 작은 편이죠.

53 명사 에다(가)

준비 여자는 소포를 어디에 놓을까요?   **Track 13 (141쪽)**

직원: 어서 오세요.
올가: 소포를 보내려고 하는데요.
직원: 여기 저울에다가 소포를 올려놓으세요.

54 동사 (으)므로

준비 잘 듣고 이곳에서 할 수 없는 것과 그 이유를 이야기해
보십시오.   **Track 14 (144쪽)**

안내 방송: 곧 공연이 시작됩니다. 공연이 시작되므로 휴대
폰은 전원을 꺼 주시기 바랍니다. 또한, 연주자
에게 방해가 되므로 사전에 약속되지 않은 촬영
은 삼가시기 바랍니다. 감사합니다.

55 명사 더러/보고

준비 잘 듣고 여자가 누구에게 무슨 말을 했는지 이야기해
보십시오.   **Track 15 (146쪽)**

여자: 빌리, 내일은 시험이니까 학교에 일찍 와.
남자: 알았어. 늦지 않을게.

73 동사 거든(요), 동사 잖아(요)

준비 잘 듣고 가장 알맞은 대답을 고르십시오.
Track 16 (181쪽)

1. 오늘 여기 길이 많이 막히네.
2. 전화가 계속 오네. 무슨 일 있어?
3. 요즘 왜 이렇게 불이 자주 나지?
4. 처음 보는 옷이네.
5. 이 지우개 좀 빌려 줄 수 있어요?

76 이유 표현 종합 연습

준비 이 사람이 왜 지각을 했는지 잘 듣고 빈칸을 채우십시
오.   **Track 17 (185쪽)**

남자: 오늘 아침에 알람시계가 울리지 않았습니다. 그래서
늦잠을 잤습니다. 학교까지 뛰어갔지만 20분이나 늦
게 도착했습니다.

문법 색인